フレーフレー！就活高校生

―高卒で働くことを考える

中島　隆

岩波ジュニア新書　987

はじめに

みなさん、7月1日は何の日か、ご存じでしょうか。

インターネットで検索してみましょう。

国民安全の日、郵便番号記念日、東海道本線全通記念日……。いろいろ出てきます。でも、この本では、そんなの関係ありません。お目当てではないことは、おわかりですね。

じつは、「企業が高校に送った求人票が公開される日」なのです。卒業したら就職をしようと思う高校3年生の、就職活動が始まる日なのです。

よ〜し、たくさん内定もらうぞ〜。

ピーーッ、イエローカード！　ダメです。それは許されていないのです。

9月16日に面接が解禁されるのですが、一部の地域を除いて、高校3年生が面接を受けられるのは1社だけ。内定をもらえるのも1社だけ。1人1社、と決められているのです。

大学生は、いくつもの会社から内定をもらって、その中から1社を選んでいる。高校生がもらえる内定は1社だけなんて、不公平じゃんか？

その通りだ、と私は思います。

高校生は学業優先、授業優先、なのだそうです。だったら、大学生は学業優先、授業優先じゃなくていいんですか？　その疑問、ごもっともです。大学生の多くは、学業、授業では高校生より暇《ひま》、ということです。

精神的に発達していないので選択できない。そんな理由を言う大人がいます。そんな大人たちに問います。

なぜ、あなたたちは18歳を成人にしたのですか？

選挙権を与えたよね、何人もの候補者から1人を選びなさい。それはあなたが住んでいる国の行方《ゆくえ》を、あなたが住んでいる地域の行方を決めることにつながるんだ、もう大人であるキミたちならできるよね。

わかりました。選挙権はしっかり考えて使います。でも……。

だったら、私の就職先という人生の行方を決めることは、いくつもの選択肢の中から自分で選ばせてくださいませんか。

それはダメだね、ノーだね。

世の中の偉い人たちは、都合のいい時は大人扱いをし、悪い時は子ども扱いしています。

おかしくありませんか？

文部科学省（以下、文科省）の調査では、２０２３年度の高校から大学、短大、専門学校など高等教育機関への進学率は84・0％と過去最高でした。つまり高校を卒業してすぐ社会に出る人は、10人に２人もいないのです。大学への進学率に限ると、57・7％と、こちらも過去最高でした。

進学率・就職率については、普通科高校と職業学科高校に分けたデータが、文科省の統計にあります。

昭和40年代、つまり１９６０年代の高校卒業生の就職率は、普通科で40％台、職業学科は80％を超えていました。大学等への進学率は、普通科が40％に満たず、職業学科で７％台でした。

では、２０２３年度の就職率です。

職業学科は46・7％と、２人に１人もいません。進学率は25・2％。４人に１人に増えました。

そして、普通科に目を転じますと……、進学率は70・3％、就職率は、なんと6・3％。

高校を卒業してすぐ就職する人が、多数派から超少数派になってしまったのです。社会の関心は、多数派になった大学生に移ってしまいました。

社会の関心は、いつも多数派に向かいます。大学受験産業は花盛り。大学受験をにらんでの中学受験は過熱しています。

世の中の多数派になった大学生。その就職活動の仕組みは、世の中の関心を集め、変更を繰り返しています。

でも、減り続けて完全に少数派になってしまった就活高校生をめぐる仕組みは……、どうなっているのでしょうか？

高校を卒業して就職したのにすぐに会社をやめてしまう。そんな離職が高卒者には多い、と指摘されています。これも文科省によると、2020年3月に卒業して就職した人のうち3年以内にやめてしまった人の率は、高卒が37・0％、大卒が32・3％です。

この差は、なぜ起こってしまうのでしょうか。

就活高校生は、1人1社しか内定をもらえず、1社ゲットすれば、それで就活終了。内定をもらった会社が本当に自分に合っているのか、検討したくてもできない。会社に入って「こんなはずじゃなかった」と思う人が多いのは、当然だと思います。高卒の若者が悪いわけではないと思います。

ところが、政府が2020年にまとめた「高等学校就職問題検討会議ワーキングチーム報告」では、こんな風に指摘されています。

「生徒がみずから意欲をもって職業や企業を選びたくても、就活の決まりが邪魔をするという声はあるけれど、若いほど自分の生き方に疑問をもつものだし、高卒は規模の小さい会社に入社する人が多いということも影響している」

結局、何が問題なのかわかりません。

この本にご登場いただいている高卒離職者のみなさんは、就職先について、「先生に選べと言われて、よく考えずに選んでしまった」「もっと考えれば良かった」と後悔しています。後悔の声があがるような仕組みです。少なからず問題があるのは間違いありません。

この本では、そんな、高校生の就職活動のルールについて、いまの仕組みと、どんな課題を抱えているのかをお示しします。

就職を志す高校生のみなさん。ご自分の就職活動に不安があることでしょう。保護者のみなさん、お子さまの就職の行方を心配されているかもしれません。

でも、安心してください。

高校生を大切な人材、いや人財だと考えている会社が、たくさんあります。その数は、ますます増えています。生徒にさまざまな会社のこと、仕事のことを知ってもらって選択肢を増やす。そのために頑張っている高校の先生たちがいます。

就職を考えている高校生に、企業のありのままを見せ、幸せな社会人人生のスタートをしてもらいたい。それだけを思って動いている人材の会社が、あります。

そして、厚生労働省などの行政も、いろいろ工夫しています。

高校生の幸せな就職を願っていない大人は……、いません。私が知る限りですが。

この本では、それぞれの章、そして章の間にはさむ「コラム」の中で、高校を卒業して就職した人たちが、自分らしさと働きがいを求めて奮闘する生き様を、紹介しています。

勉強が嫌いだから進学しないアナタ。大丈夫です。そんな元高校生にご登場いただきます。不登校や引きこもりになってしまったアナタ。大丈夫です。そんな元高校生たちが活躍している姿も、描いています。

おカネがなくて進学できないアナタ。大丈夫です。進学をあきらめて就職して活躍している方にもご登場いただいています。

すべての就活高校生のみなさん、どーんと来い。

きっと、みなさんの境遇と似ている元高校生と、この本で出会うことになると思います。

もちろん、大学に行くことを否定しているわけではありません。ただ、大学に行けないからといって、がっかりすることはないのです。コンプレックスなんか、ぶっ飛ばせ。もし劣等感を抱いてしまうとしたら、それは、この日本社会が間違っています。

この長期にわたって停滞する日本にとって、若いアナタが就職するという選択は、希望です。多くの企業が、そう思っていることを、この本の中でお示しします。

さ〜てと。まずは、高校生の就活の仕組みや課題について、ちょっと勉強しましょうか。

2024年1月

中島　隆

目　次

本文イラスト＝丹地陽子

1章　高校生の就活事情

高卒で働くということ

さあ、高校生の就職活動の仕組みについて、いっしょに勉強しましょう。

本屋さんに行くと、就職活動についての本が何冊もならんでいます。アマゾンで「就活」をキーワードに検索してみると、たくさんの本が出てきます。ただ、大学生向けの本ばかりです。誰か、高校生の就職活動について解説してくれる「先生」がいないかな〜、と思っていたところ、いました、いました。

リクルートワークス研究所の古屋星斗《しょうと》さん（１９８６年生まれ）です。この研究所は、高校生の就活の仕組みについて、熱心に研究しています。

東京駅の近くにあるオフィスビル、そこに古屋さんを訪ねました。では、あらためまして、いま高校生の就職について考えなくてはならない理由。それは何でしょう？

「若者が減っています。アナログからデジタルへ、単一性から多様性へと時代は変わっています。それなのに、仕組みが約40年、変わっていない。おかしいと思いませんか」

高校生のみなさんが生まれる前、１９８０年代の後半、日本の経済は絶好調でした。お金がありあまり、土地が買われ、株が買われました。銀行にお金を預けた時の利子は、６％とか７％。10万円を預金したら、１年後には10万６千円になっていた、ということです。その夢のような景気は、１９９０年代に入り、泡《あわ》（バブル）となって消えました。いわゆるバブルの崩壊、といわれていることです。いまの日本、銀行の普通預金の金利を、インターネットで調べてみてください。金利は、０・00……％。悲しいかぎりです。

さて、バブルのころは、高卒で50万人ぐらいが就職していました。ところが、２０２２年度は12万人余り。つまり、この40年で、４分の１に減ってしまいました。

バブル崩壊後の「失われた30年」で、日本人の所得は増えず、子どもの数が減っていきます。さらに、多くの高校生が大学に進むようになりました。高校生の就職希望者が減るのは、当然です。

企業の採用意欲は、すごいんです。２０２２年度の高卒求人数は44万人余り。就活高校生１人につき３・５社、という倍率です。

ところが、高卒の就職活動の仕組みは、基本、変わっていないのです。

「工場にたとえてみましょう」

工場には、生産ラインがあります。ベルトコンベアで流れてくるものに部品がつけられていきます。そして、最後には同じ形の製品になっている。そんな大量生産の時代がありました。とにかく量をこなさなくては。こういう時には、ひとつひとつに気を配っている時間、ありません。

ですが、お客さんそれぞれの注文にそって製品をつくっている工場では、どうでしょう。量をこなすのではなく、ひとつひとつに気を配ってつくりますよね。

「学校の教室にたとえてみましょう」

40人で1クラスと10人で1クラス。先生はどちらも1人としたら、生徒ひとりひとりに注《そそ》がれる時間は違ってきますね。

ところが、高校生の就職の仕組みは、この40年、ほぼ変わっていないのです。

高校生は、大学生にくらべて子どもだ。選べないんだから、会社を決めてあげるのだ。そんな理由が挙げられます。

「高校生を甘く見ていますよね。ほかにも、学校の先生の負担が増えてしまうから、名もない中小企業の採用が難しくなるから、とかいろいろな理由が挙げられています。でも、すべては大人の事情です。それで、子どもたちの未来を縛《しば》っていいのでしょうか」

高校生の就活ルールは、文部科学省(以下、文科省)や厚生労働省(以下、厚労省)などの行政、高校の校長先生たちや教育委員会などの学校組織、そして経済団体で申し合わせ、決められます。

ルールを知ろう！

現在の就活ルールを、おさらいしておきましょう。

企業は、原則としてハローワークに求人票を提出し、確認印をもらったうえで、高校に求人票を出します。その求人票が３年生の生徒に公開されるのは７月１日。それを見て、生徒はどこに行くかを決めます。９月16日に面接・内定解禁。ただし、生徒は、「この企業にしか行きません」という専願が求められます。そして、内定が決まったら、就活終了。生徒には変える権利はなくなります。それが「１人１社制」です。一部の自治体では複数社認めるところもありますが、あまり機能していないのが現状です。

さらに、就職活動中、高校生と企業との間の直接連絡はＮＧ。原則として学校を通してのやり取りしか認められないのです。古屋さんいわく、

「ありえなくないですか？」

ありえません。高校生の就活のルールを初めて知った人は、きっと言葉を失うでしょう。

じつは、就職の選考開始日をどうするかは、１９５２（昭和27）年から変わってきました。

この年は、敗戦から7年、日本が米軍の占領下から主権を取り戻した年です。

1952年の取り決めでは、就職の選考日は、高校卒業が迫る1月以降とされました。もっと早く採用を決めたいという考えから10月1日以降、さらに11月1日以降などと変わります。そして1987年に、面接と内定は9月16日以降となり、いまも変わっていません。

「この就活のルールは、戦前の仕組みがベースにあります。大量の若者をいかに軍需《ぐんじゅ》産業に送り込むか、という仕組みです。それが形を変え、大量の若者をいかに効率的に企業にマッチングさせるか、というルールになったわけです」

若者を早く獲得したい企業側の論理。高校の先生たちの「あまり早く内定が決まると、安心して遊ぶ者が多くなる」という論理。このふたつの論理のせめぎあいが、9月16日以降、という決まりになったのです。1987年って、バブル景気が始まろうとしていたころですよ。

1人1社制は、1960年代から本格的に始まったようです。

1人1社の理由。ひとつは、何社もの企業から内定をもらった高校生は、未熟だから、就職する会社を適切に選ぶことができないだろう、というものです。学校が未熟な生徒たちを守ります、ということでもあります。子ども扱いするなと言いたくなりますね。いくつもの企業から内定をもらっている大学生は、適切に選ぶことができる能力をもっているんですか？　そうも言いたくなりますね。

ある生徒は何社も内定をゲットしている。ある生徒は内定ゼロ。そういう「不平等」は教育現場にあってはならない。そんな教師たちの思いもあるようです。もはや経済の論理ではなく、教育の論理です。18歳は、自立していない大人だ。大学生は自立した大人なので、不平等ＯＫということなのでしょうか？

リクルートワークス研究所は２０２０年、高卒後に正社員として採用され、２年以上はたらいた経験のある39歳までの約４千人を対象に調査をしています。その際、こんな意見があったそうです。

「いろいろ応募したかったけれど、１社しか応募できなかった」

「学校の体面を保つために、信用金庫に就職してほしかったらしく、就職を強要された」

「就職試験を受ける会社にしか工場見学をさせてもらえなかったため、複数見学させてもらいたかった」

就職は今後の人生を決めかねないのに、後悔に似た思いをさせるなんて。このような思いをさせないために、複数社応募ＯＫの自治体が少しずつ増えているのでしょう。

古屋さんって何者？

ところで、古屋星斗さんって何者でしょうか。古屋さんはかつて、一橋大学の大学院で教育社会学を研究しました。世間でいうところの「学歴エリート」であることを、自覚しています。隠す必要はないし、過去を変えることもできませんもの。大学院で研究したのは専門学校のことでした。専門学校の先生の話が、とてもおもしろいのです。勉強が好きで偏差値が高い、という世界とは違う景色を見て、古屋さんは、のめりこみます。また、東北地方の高校を巡《めぐ》って、先生といっしょに授業をしていきます。

2011年4月、古屋さんは経済産業省（以下、経産省）に入ります。東京の霞が関にある本省《ほんしょう》。会社でいえば本社みたいなところです。そこで、待っていたのは、下働き。いわゆる「ぞうきんがけ」と呼ばれる仕事でした。

コピーとり。国会議員に説明するための資料づくり……。新米ですから仕方ないとはいえ、「ステキな仕事」とは言えません。その後、別の仕事を経験。2013年、原子力災害対策本部に派遣されます。福島の復興《ふっこう》が仕事です。

古屋さんが経産省に入ったのが11年の4月。その前の月に何が起こったか、みなさんおわかりですね。そうです、東日本大震災です。福島では、原発が爆発し、多くの地域住民は、ふるさとから離れて避難しました。みなさんの中に避難した方がいるかもしれません。みなさんが住んでいる地域に避難してきた方々がいたかもしれません。

古屋さんは、福島原発に近い3つの町と村の復興に取り組みました。放射性物質の除染、コンビニや郵便局の再開、道路の復旧……。古屋さんは事務仕事のかたわら、住民の困りごとを聞いて、できることをしていきます。停電してまっ暗な中、掃除が必要な生活道路をほうきではきました。作業を始めた当初は、こう思ったのだそうです。

「原発をすすめてきた責任は、経産省にもある。でも、事故が起こったのはボクが入省する前だ。ボクに責任、なくね？　なのに、なぜ掃除してるんだ？」

ところが、古屋さんは考えを改めました。高卒で経産省に入った人たちが、福島で大活躍している姿を見たからです。

現地の町役場、自治会長さん、地域の人たちと人間関係をつくり、町の意志決定にかかわるキーパースンになっていました。現場に入って、現場で動き、現場で考える。

〈これこそが、役人の仕事じゃないか〉

そして、本省に戻りました。すると……、高卒の人たちが、古屋さんの部下なのです。役所にはいる時に受けた国家公務員試験の違いがあるがため、なのですが。古屋さんは思いました。

〈これは、ボク、勘違《かんちが》いしてしまうぞ〉

試験の違いなんて、世の中をよくするためには何の意味もないじゃないか。古屋さんは経産省をやめます。世の中を少しでもよくするために力を尽くしたいと考え抜きます。教育を研究していた経験から、気づくのです。

若い人の仕事、ファーストキャリア。それがものすごく大事じゃないか。試験の成績なんてしょうもないもので決まる世の中ではなく、最終学歴など関係なく活躍できる。

〈そんなダイナミックな社会に、この国を変えたい〉

2017年にリクルートワークス研究所に入りました。力を入れた分野のひとつが、高校生の就職、だったのです。

古屋さんは言います。

「中長期的にみると、ルールは変わってくる、いや変わらざるをえなくなると思うんです。本質的な論点を申し上げていくと、まず、就職する高校生と進学する高校生で情報の格差がすさまじいことをどう考えるか、ということです」

たとえば、昔は多くが就職していた高校でも、大学進学者が増えています。すると、学校のクラスで、進学する人と就職する人が混在するようになります。

進学希望者には、さまざまなコンテンツが用意されます。多くの大学では、オープンキャンパスが開かれ、「うちの大学は魅力いっぱい、ぜひ受験して」とアピールします。体験授業を受けてみましょう、うちの教授陣は充実していますよ。この教授、テレビなどで見たことあるでしょ。どうです？　生き残りをかけた大学は必死なのです。

高校も必死です。大学に合格者を出すことが学校の地位を高める、と考えているからです。これは、日本の世の中がそうなので、難関大学に何人合格者を出しているかを追いかけます。だからこそ、「ビリギャル」(学年ビリの女子高校生が猛勉強の末に難関大学合格を決めた実話)や「ドラゴン桜」(底辺校に通う高校生たちが、1人の教師と出会い東大合格を目指す話)がもてはやされます。断っておきますが、批判しているのではありません。目標に向かって努力する姿は、とてつもなく尊いです。

ところが、就職する高校生は、3年生の7月1日の求人票公開まで、会社の情報が学校側から出ないとなったら、どうでしょう。インターンシップ、ありません。会社見学、ありません。そんなことになったら、大学進学組との差は、あまりにもひどい。

「高校生は、バカじゃない。高卒で会社員になった人たちから、何度も、「不公平ですよね」との声を聞きました」

再びリクルートワークス研究所の2020年の調査です。進学校に進みつつ卒業で就職を選んだ人の声です。

「就職をする生徒をよく思わなかった教師がほとんどだ。誰も信用できなかった」

「就職活動をする人の肩身《かたみ》が狭い。学校の見栄《みえ》や都合で、就活だけ手薄になるのはやめてほしい」

大学生の就活とは大違い

さて、高校生の就活ルールが、どんなことを引き起こしているのかを、考えてみましょう。

政府の調査では、2020年3月に卒業して就職した人が3年以内にやめてしまった離職率は、高卒が37・0%、大卒が32・3%でした。

差はあるけど、たいしたことないんじゃないか？　そう思う方がいるかもしれません。でも、大卒は離職の理由として、キャリアアップのための転職、というケースも多く含まれていると思われます。もちろん、高卒にもキャリアアップの転職がないとは言いません、でも、大卒よりは少ないと思われます。

とはいえ、３年以内離職率は、その会社が自分に合わないからやめたという人だけではない数字のようです。そこで、リクルートワークス研究所は、２０２０年の調査で、３年以内に離職した人に、いつ離職したのかを聞きました。

１カ月未満と答えた人は、高卒が６・８％。大卒は４・３％でした。１カ月未満というと、会社で新入社員研修をしているころでしょうか。

１カ月以上３カ月未満は、高卒が12・１％、大卒が８・４％。まだまだ新人研修中か、研修が終わって配属先に行くようなタイミングでしょう。

３カ月以上半年未満。高卒は11・２％、大卒は10・７％。この時期になると、配属先で仕事をこなしているころです。結果が出なくて落ち込む、とか、人間関係がぎくしゃくするといったことが起こるころでしょう。それは、高卒、大卒関係なく起こるので、あまり数字に開きはないようです。ここから見えたことは、高卒の３年以内離職者のうちおよそ５人に１人は、３カ月もたたずに会社をやめているというショッキングな事実です。

さらに、これを就職した人全体として研究所が出した推定によると、こんな結果が出ました。高卒就職者の13人に１人は、３カ月未満でやめている。それに対して、大卒就職者の場合は、24人に1人にとどまっている。就活高校生と企業との間にミスマッチが起こっているのは、明らかです。

研究所は、離職した高卒者たちに、こんな質問をしました。

高校を卒業してはじめて入社した会社を10点満点で評価してください。

衝撃的な数字がでました。24・1％が、こう回答したのです。

「0点」

坊主《ぼうず》憎けりゃ袈裟《けさ》まで憎い。捨てぜりふの部分もあるかと思いますが……。

「ありえない数字ですよね。これは、高校生の就活システムに問題があるとしか分析できないと思います」と古屋さん。

ちなみに、49・6％が「4点以下」でした。落第です。

さらに、高校での就職活動で、求人票や企業情報を調べたり、企業の担当者から説明を聞いたりした会社の数を聞くと、67・2％が1社以下。平均でも2・2社でした。

「自由に就職活動をしている大卒では考えられない少なさです。ふだん、生徒のためにとか言っているのは高校や政府です。だったら、何とかしなくてはと考えるのは当然ですよね」

研究所に寄せられた回答には、こういうのがありました。

「自分は就職活動をしたことがないんです」

つまり、先生からここにしたらとすすめられた会社に入社したということでしょう。

「就職の時、給料と家からの距離だけを見ていて、後悔しかない」

「職場の人と事前に話したかった。入って同年代がいないことを知った」

「学校が面接を受けてよいかどうかを決めるのは、やめてほしい」

研究所の調査は続きます。高卒を採用している4千500社余りに調査したところ、8割以上が高卒採用に何らかの課題を感じていると出ました。

「生徒と直接話ができる機会が少ない」

「自社の魅力を伝える方法が少ない」

「先生との関係づくりが負担になる」

そんな回答がありました。また、企業は違和感も抱いています。

「なんとなく学校の先生の紹介で決めてしまう」

「1社決め打ち状態は不健全だと感じます。一度不採用としてしまうと、その学校との関係が切れてしまう」

「私たちも、高校の先生との名刺交換会に参加するなど、先生方と密に情報交換していま す。ですが、いっしょに働くことになる生徒たちとコミュニケーションせず、そうした根回 しに腐心《ふしん》するのは筋が違うでしょうし。このような状況を生み出している制度や慣習は、見 直す余地があると思います」

実際に企業の声を聞いてみたいと思います。

企業の声を聞く

これは、今回、私が取材をさせていただいた、ある会社の採用担当者の話です。

「7月1日に求人票が公開になりますから、そこまでは何もさせません、という高校があります。でも、公開になってからでは間に合いません。だって、インパクトのある企業の求人票に高校生の目が行ってしまいますから。うちのような地味な業界の会社は苦しい。せめて、公開より前に会社見学だけでもお願いしますと言うと、多くの場合、断られます。生徒には行くと決めた会社にしか行かせません、と言うんです。生徒さんに選ばせず、先生が1社に決めさせて、決まったら、ハイ終わり。私たちは生徒さんたちと話がしたいんです。先生たちだけだと、私たちの話したとおり先生が生徒さんたちに伝えているか、フィルターをかけられてしまうんじゃないかと不安です。給与は、入社4年目の22歳だと、残業代込みで年収500万円ぐらいになります。もちろん、その後も上がっていきますから、結婚もできるし、家庭をもてると思うのですが……」

別の会社の人は、こう話しました。

「採用内定が決まったのに、「生徒さんと直接連絡を取り合ってはならない」、と言われることがあるんです。学校に言ってもらえれば伝えます、と言うんです。生徒さんたちの勉強の邪魔をしようなどとは思っていません。でも、内定したのだから、さすがにこの不自由さには疑問を感じます」

古屋さん、高卒を採用する企業からの声を、どう考えますか。

「いまのルールだと出てきて当然の声です。ただ、企業側の姿勢にも問題があったことを認識しておくべきです」

それは、これまで企業は、高卒採用をタダでやってきたということだそうです。

大学生を採用する時は、リクナビとかマイナビとかの就活サポート会社にお金を払って取りあげてもらい、大学生にＰＲしています。ところが高卒採用は、ハローワークにハンコをもらって高校に求人票を出すだけ。お金をかけていませんでした。

そのことは、地域の企業にとっては助かっていました。地域の高校に求人票を出せば、もしかしたら生徒に振り向いてもらえるかも、だったのですから。でも、それは過去の話になりつつあります。人口の減少で、現在と未来を支える若者が取り合いになっているのです。地域内だけでなく、地域と地域との間でも取り合いになっているのです。

「高校生を採用するため、企業は種まきをしなくてはなりません。種まきという発想がない企業は、高校生を採用できなくなっています」

古屋さんは、企業はおカネをかけろと言っているのではありません。高校生に就職のことを考えるきっかけを提供しましょう、と言っているのです。

7月1日に求人票公開。9月16日以降、面接開始で1人1社制。この決まりの中でも、できることはあります。たとえば1、2年生の時から生徒に会社の情報を提供するのです、インターンシップ、職場体験などをしていくのです。

「3年生の就活の時、あの会社で職場体験させてもらったなあ、と思い出してもらい、採用につながるかもしれません。もちろん、つながらないかもしれません。でも、種をまかなければ花は咲きません。10年後、20年後の会社の姿を考えると、ぜったい高校生は必要なんですよね？　だったら種をまきましょう」

古屋さんが課題だと思っていることは、まだあります。それは、求人の業種開拓《かいたく》ができていないことです。

「製造業が40％、建設業が15％、ほかにもいろいろあって、情報通信が1％未満。そういう構造が30年ぐらい続いているんです。ふつうに考えたらありえません、なぜなら、日本の産業構造が変わっているからです」

産業構造の変化が反映できていない。その理由が、求人開拓ができていないからなのだというのです。大卒や中途採用では、さまざまな人材関連企業が、「求人ないですか」、「困っていませんか」と企業を回っています。ですが、その機能が、高校生の労働市場には圧倒的に欠如していた、というのです。

「じつは40年ほど前には、高卒の就職活動には、求人開拓機能があったんです。誰がやっていたかというと……」

それは先生でした。

オックスフォード大の苅谷剛彦《たけひこ》教授が1991年に出した著書に『学校・職業・選抜の社会学』（東京大学出版会）があります。およそ250ページにおよぶ、高卒就職にかかわる文献です。その冒頭に、苅谷教授は、新設高校の教師が語ったというエピソードを記しています。それを簡単に説明すると次のようになります。

「初めての卒業生を出す年のことでした。先生は、ハローワークから紹介された会社を歩いて回りました。でも、「そんな学校は知らない」と言われます。ある大手メーカーの人事担当に会ってくださいと電話しても、会ってくれません。そこで、先生は、約束なしでその工場を訪ねました。台風がちかづいていた土砂降りと強風で、ずぶぬれでした。工場の門から人事担当者に電話して、入れてもらいます。担当がいた事務所についたときは、下着までびしょぬれ。担当者は、「おたくへは求人する予定はないんだけども、そんなにまでしてきてくれたんだから」と言って、求人を出してくれました」

古屋さんも、似たようなこととして、ある高校教師から聞いた話を語ってくれました。

「オイルショックの時、学校に求人票がなかなか来なかった時があったそうです」

オイルショックとは、1970年代に起こった石油価格の暴騰《ぼうとう》のことです。物価が高騰《こうとう》し、街のスーパーからトイレットペーパーがなくなりました。

「求人票が来なくて困った学校の先生たちは、早朝、地元の会社の工場の門前に立ち、社長さんをつかまえて直訴《じきそ》しました。「社長、うちの生徒は頑張っています、ことしも就職、お願いします」って」

新聞記者の用語に、夜討《ようう》ち朝駆《あさが》け、という言葉があります。昼間なかなか会えない人の家や会社などに、早朝や夜、アポなしに行き、その会えない人をつかまえて話を聞く、という取材方法です。それと同じことを、高校の先生がしていたのです。

「以前は、先生たちが就職先を増やしていました。求人開拓機能を担ったのは、先生だったのです。でも、いまの世の中で、先生に頼むことはできません」

なぜなら、学校の先生は忙しすぎます。これ以上、仕事を増やしてしまうことは許されません。では、誰がすればいいのでしょうか。

それは、学校に派遣されたキャリアコンサルタントや、民間会社です。大卒だと、いろいろな会社がこの機能を担っています。

だったら、そういう会社が高校生向けに企業を回れば、いいんじゃないか。

その通りです。ただ、世の中の多数派である大学生の就活はビジネスになるけれど、少数派の就活高校生に向けたサービスはビジネスになりづらい、という判断からでしょうか、有名サービス会社は、高校生は視野に入ってないようです。いまのところですが。

でも、高校生のみなさん、安心してください。この本の4章で、その一翼《いちよく》を担っている会社を紹介しています。

古屋さんは言います。

「たとえば、こんな風に思われているようです。高校生には能力がないからIT業界への就職がない、と。そんなことはまったくありません。求人をしてくれないから高校生が就職できないだけです。でも、ITの会社で働くチャンスが少ないことが、高卒にITは無理、という偏見をつくりあげてしまった」

学歴と就職

高校生にITは無理じゃないぞ。そのことを裏付ける会社が、東京の港区にあります。ITの会社「Oookey《ウーキイ》」。2005年にできた会社で、自治体業務のデジタル化などをしています。社員10人ほどの会社で、高卒のプログラマーやデザイナーが生き生きしています。

野原聖《ひ》捺《なつ》さん（2004年生まれ）は、プログラマーです。幼いころに両親が離婚、母1人娘1人で暮らしてきました。家に余裕がないのはわかっていたので、高校を卒業したら就職すると決めていました。通信制の高校でプログラミングを学んでいきます。ひととおりの言語は習得していたので、これを生かせる会社を選ぼうと思っていました。

通信制の高校にも、もちろん求人票が来ます。7月1日の公開から少し出遅れてしまい、先生も「受けるところを早く決めてね」と言います。探して、探して……。あったのが、Oookeyでした。必要な技能に、いくつかの言語が挙げられていました。まさにドンピシャ、習得していました。さらに、初心者でも大丈夫、とあったのが心強かったのです。

家は神奈川県の小田原市にあります。その東海道新幹線の停車駅でもある小田原駅から、東海道本線に乗って東京の新橋駅に着きます。そこから地下鉄に乗り換えようと思うのですが、駅の中が複雑すぎて、地下鉄の駅になかなか着きませんでした。地下鉄に乗って、会社の最寄り駅に到着。そこから会社までも、迷子になってしまい、訪問予定時刻から大幅に遅刻してしまいました。

ですが、待っていたCEO（最高経営責任者）は、ニコッと迎えてくれました。学校のこと、プログラミングのことなどを語り合います。気がつくと4時間がたっていました。

2022年春に入社しました。ITの世界は日進月歩《にっしんげっぽ》です。野原さんは、どんよくに技術と知識を身につけています。

「私がつくりたいものをつくるために、もっともっと学びます」

野原さんの横で、ホームページのデザイナーとして活躍している同期入社の高卒者がいま

高校を卒業して，Oookey で働く野原さんと同期の平賀さん（左）．2 人のうしろにいるのが CEO の菊地さん（写真提供：朝日新聞社）

した。平賀舞子さん（2003年生まれ）は、高校進学の前、将来について悩みました。

〈デザイナーもいいけど、動物園の飼育係もいいいな〉

決断して、デザインを学べる高校に進みます。親のすねをかじっていることにモヤモヤ感があったので、高校を卒業したら就職すると決めていました。

〈大学は社会人になってからだって行ける。IT会社で技術を早く身につけるんだ〉

そう考えて、デザイナーを募集していたOookeyに入社したのでした。「着々と技術が身についているという実感が、私にはあります」と平賀さん。

2人を採用したCEOの菊地伸さん（19

77年生まれ）は、語ります。

「好奇心が旺盛で、いいものをつくりたいという頑張りもあります。ボクの18歳、19歳のころとは比べものになりません、お恥ずかしいかぎりです」

菊地さんは宮城県の高校を卒業し、東京のとある有名私立大学の国際政治経済学部に進みました。ですが、本人によると、4年間、政治経済のことは学ばず、いい加減に過ごして卒業。就職氷河期《ひょうがき》だったので就活は苦労したのですが、ＩＴ業界に進みたいという願いを果たし、プログラミングやデザインを学び、起業したのでした。

高卒採用をしているのには理由があります。菊地さん自身がプログラミングなどを学んでいて、こう思ったのです。

〈これ、学歴社会の中で勉強することとは直接関係ないぞ〉

テストで良い点をとるように頑張りなさい。それが学歴社会の教育とすれば、ＩＴに必要なのは、そんな教育じゃない。自分で何か、頭と心を動かしてものをつくりだす、それが好きな子さえ見つけられればいいんじゃないか。昔と違い、いまはネットで何でも勉強できます。ＩＴの技術を学ぼうと思えば、いくらでも学べる時代です。菊地さんは思ったのです。

〈若い子たちにチャンスをつくろう。ＩＴの世界に高校生を導こう〉

古屋さんがいうところの「求人開拓機能」を担っている会社の合同説明会に参加しました。その会社のことは4章でとりあげます。菊地さんの会社のブースは……、高校生たちであふれかえったのです。菊地さんは思いました。

〈うちがすごいんではなくて、ITの会社に入りたいと思っている高校生がたくさんいる、ということなんだ。高校生にIT企業へのチャンスがないんだ〉

その日の説明会に来ていたIT企業は、Oookeyだけだったようです。

ルールは1人1社

1人1社制を軸にしたルール。これを簡単にいじると、どこかに歪《ひず》みが起こるかもしれません。それは、高校生のみなさんにとって幸せなことではありません。時代の変化とともに、ルールも変わっていくことでしょう。ただ、いままさに就活を迎える、または就職を考えている高校生が幸せになるには、どうしたらいいのでしょう。古屋さんは、こう言います。

「就活に向けた準備運動や助走を十分にしましょう」

7月1日に求人票をいきなり見ても選べません。それは誰だってそうです。なので、その日を迎える前に、大人たちが生徒たちに情報を集められる環境をつくることが大切なのです。

インターン、会社見学、経営者の出前授業。高卒採用を支援する会社が開く合同説明会……。いまはネットでも情報を集めることができます。

「何十社も見て、と言っているのではありません。興味のある業界で2～3社でも見に行く。そんな準備や助走をしっかりしておけば、求人票から自分が行きたい会社を選ぶことができると思います」

でも、学校にきている求人票の中に、これだと思える会社がなかったらどうしましょう。自らの力で就職先を開拓した例を、ここでひとつ、紹介します。

和歌山市に「befriend《ビーフレンド》」という会社があります。2013年にできた和歌山の夕ウン情報を発信する会社です。ここに2020年4月に入社した築地《つきじ》新《しん》彩乃さん(2002年生まれ)は、和歌山市生まれ。絵を描くのが好きでした。絵画コンクールなどで賞をとるなどしていた彼女は、デザインを学べる高校に進みました。授業では絵を描いたり、パソコンを使ってグラフィックデザインをしたり。もともとパソコンが得意だったので、デザインをすることが好きになります。パソコンで絵を描くこともできるし。そこから、こういうことが仕事にできたら楽しいだろうな、と思うようになりました。

ちょうど、「全国高等学校総合文化祭」が、和歌山県で開催されることになりました。県内から何人もの高校生が実行委員として集まります。どんなイベントにしようか、全国から集まる高校生を、どうもてなそうか。話し合っていくうちに、和歌山愛が強まっていきます。

〈私は、地域に恩返しがしたい。デザインの力で地域貢献したい〉

大学に行った方がいいのかなと考えた時もありましたが、学費がかかるしなぁ、とあきらめ、高校２年の終わりのころには就職することを決めました。３年生の７月１日、求人票が公開されました。地元の企業からのものに、ひととおり目を通します。

〈あかん。行きたいとこ、ない〉

いままでやってきたことを捨てたくありませんでした。自分のデザインの力で地域に何かできることはないのだろうか。パソコンで探しているうちに、「ｂｅｆｒｉｅｎｄ」を見つけます。地域の人に役に立つ情報を発信している。街の店の魅力を発信している。デザインを通じて地域に貢献する。まさに、私がやりたいことだなと思ったのです。

その当時、和歌山の高校は、１人１社制。求人票が来ない会社には行きたくても行けません。そして、築地新さんの高校には来ていなかったのです。

築地新さんは、就職のことで話をしていた英語の先生に、「ここに行きたい」と直訴《じきそ》しました。先生は、何年か前に求人票を見たことがあると思う、と言います。築地新さんは、担任の先生に、「この会社に行きたいんです」とお願いします。つないであげるわ、と担任。そして、会社からルールにのっとった求人票を出してもらい、就職を決めたのです。

街に、築地新さんがデザインしたチラシがあります。そのチラシを見た人が動き、店の売り上げにつながる。「お客さんが来てくれた、ありがとう」と喜んでくれるのがうれしい。さらに、街の社長さんたちと、ああでもない、こうでもないと話し合い、自分のＩＴの力で、思いを発信しています。築地新さんは思うのです。

「求人票来てないな、とあきらめなくてよかった」

築地新さんが勤める「ｂｅｆｒｉｅｎｄ」は和歌山でタクシーを中核にして観光事業などをしている「ゆたかグループ」のひとつです。このグループは、インターネット上の仮想空間を利用した「メタバース観光」を展開するなど、リアルとネットを使って動き出し始めました。デザイナーとしての築地新さんの活動領域は、ぐーんと広がりそうです。

彼女に、現役の高校生へのアドバイスを聞きました。

「行動しないと何もつかめない。行動したら、何か見えてくるものがあるかもしれません。そこをつかんでいく。そして、幸運は自分でつかみにいかないと寄ってきません。自分のしたいことを追いかけて、追いかけて。学校の先生って、基本、相談にのってくれるもんです。

親身になってくれます。もし、そういう先生でなければ、ほかの先生に相談すればいい。妥協しないことです。人生はこれからです。高校生であるいまを大切にしなくてはいけないと思うんです」

ルールとは何か?

再び、古屋さんに登場してもらいます。古屋さんが考える理想的な就活のルールとは何なのでしょう。

「就職先が決まりにくそうな生徒には学校が伴走、支援していく。それはセーフティネット(安全網)として大切なことです。でも、すべての生徒さんの就職先を、その仕組みで決めていくのは問題です」

準備と助走によって、高校生に情報とチャンスを提供するのです。もちろん、高校生は迷うでしょう。こっちも良さそう、あっちも良さそうと。つらい選択になるかもしれません。

「でも、社会に出たら、つらいことだらけです。大人たちだって、みんな悩んでいるんです。高校生の時に悩む。その経験は貴重です」

さて、ここまで書いてきて、こう思った方がいるでしょう。

政府は何してんの？

じつは、政府が何もしていないわけではありません。

厚労省と文科省は、高校生の就職について話し合う場所を設け、2020年2月に、報告書を出しました。お役所のすることは、どうしても長くなりがちなのですが、こういうタイトルの報告書です。

「高等学校就職問題検討会議ワーキングチーム報告～高等学校卒業者の就職慣行の在り方等について～」(以下、報告書)。

30ページ余りにわたる報告書なので、1人1社制について言及しているところを抜粋し、原文のままお届けすると、こうなります。

①一次応募の時点から、複数応募・推薦を可能とする。ただし、応募企業数を限定することもあり得る(例えば、2～3社までとするなど)。

②一次応募までは1社のみの応募・推薦とし、それ以降(例えば10月1日以降)は複数応募・推薦を可能とする。また、就職面接会で応募する場合は、期間にとらわれず2社以上の応募を可能とする。

ここでいう一次応募とは、9月16日の内定解禁のころのことです。

さて、①については、秋田県、沖縄県、和歌山県、大阪府などが1人複数社制をとっています。その他の都道府県では新しい仕組みになります。②は、現状の仕組みを追認している内容です。今後①を採用していく自治体が増えていく可能性があります。

報告書では、こんな指摘もありました。長いので要約すると。

学校の推薦で内定を得た生徒に「必ず入社しなければならない」という指導が行われている実態があるが、生徒が納得しないまま就職しても良い結果につながらないので、生徒の意志を尊重するべきだ。また、学校は卒業生に対して、就職後1年以内に離職した人には、できる範囲で就職相談に応じるとともに、近くにあるハローワークなどにつなぐなどの連携が必要だ。

古屋さんは言います。

「報告書は次世代の高卒者にあるべき進路選択の仕組みづくり、その号砲《ごうほう》です。これをきっかけに、高卒採用の在り方についてアップデートが進むことを願ってやみません」

これからのキャリアの考え方

さて、若者のキャリアについて詳《くわ》しい古屋さん、自分は「学歴エリート」であることを自覚している古屋さんに、どうしても聞きたいことがありました。

それは……。世の中は、大卒と高卒を比べて、どうしても大卒を上に見てしまいます。高卒の若者、そして保護者がコンプレックスを抱えているという話を、いくつも聞いてきました。どう考えればいいのでしょう？

「仕事での選択の回数が飛躍的に増えていく、それがいまの若者たちなんです。これまでは、就職と引退、という2つのステップしかありませんでした。だから、就職の時に有名で大きな会社に入れれば勝ち組になれたわけです。退職金を運用していれば悠々自適《ゆうゆうじてき》に老後を過ごせたわけです」

「しかし、2ステップ人生が、いまはマルチステップ人生になりました。転職、起業、離職、そのほかさまざまな選択が待ち構えている。そう考えた時、高校生で就職することは、最初の選択にすぎません。これからたくさんしなければならない選択に向けて、経験値を上げる場なんです。失敗すればするほど、悩めば悩むほど経験値が上がるので、むしろ望ましいことだと思います」

「そして、いろんなルートがあるんです。高卒といわれていても、社会人になってから大学で勉強するとか、やっぱり勉強したいと大学院に行くことだってできます。社会人になってから本当に学びたいと思うものがあったら、それを学べばいいんです。高卒だ、大卒だという区別がばからしくなる世の中に、急速に転換しています。ベンチャーでは、大学院修了や大卒を部下にしている高卒幹部、なんてざらです」

どうぞ、続けてください。

「一流大学と呼ばれる大学を出て、一流といわれる会社に就職する。その時点では、若者も保護者さんも満足するかもしれません、先生も満足でしょう。そして、映画でいえば、めでたしめでたしのエンドロールが流れていく……。そんなわけがありません。人生はそこから始まるのです」

古屋さん、企業の人たちに言いたいことを、お願いします。

「高校生への偏見を捨てて、です。高校生はこういうことしかできないだろう、なんて考えは捨ててください。先入観をもたずに、若手といろんな話をしてほしいですね。コミュニケーションをしてほしいですね。そのうえで、自分の会社とフィットする高校生と働くため、いろんな投資をしてほしいです」

「この国にとって、ダイバーシティ(多様性)こそが大事だと思うんです。高校を卒業して、魅力的なキャリアを積んできた人がいる会社があったら、その会社はものすごく魅力的な会社になる。学歴に関係なく活躍できているということは、外向けも好感度が上がりますし、社内的にも新しい発想を生むことになります。新しい発明、新しいサービスが生まれるかもしれない」

「大卒ばかりがいる会社の社員が、結婚式をするとします。参列する友人の中に高卒の人は、ほぼいません。早い段階でクラスター(集団)化しているわけです。大卒生の人から見たら、高卒の人は異人種、宇宙人になっているわけです。逆も同じです。それはもったいない。1人の人間の視界は非常に狭い。じつは同年代で、別のところで活躍している人はたくさんいるわけで。壁をとっぱらって話をすれば、もっと楽しい人生になります」

みなさんごいっしょに、そんなの、もったいねぇ!

そもそも、なぜ、多くの高校生が大学に進むようになってしまったのでしょうか。その理由のひとつは、次の説が広がったことです。

大卒は高卒より生涯賃金が高い。このことを知った保護者のみなさんは、お子さんたちに言うのです。

「大学に行きなさい」と。

そして、子どもたちも思うのです。

「大学に行かないと損するぞ」と。

本当に高卒就職は損なのでしょうか？

「労働政策研究・研修機構」という組織があります。厚労省が責任をもって管理している独立行政法人で、公表されている労働統計をもとに計算したさまざまな結果を「ユースフル労働統計」として毎年、まとめています。そのひとつが、高卒と大卒の生涯賃金です。

「ユースフル労働統計２０２３」の生涯賃金はこうなります。

高卒２億６千20万円
大卒３億２千20万円
つまり高卒は大卒より６千万円も少ない、という数字が出ています。このような数字はわかりやすいので、世の中にパーッと広がります。６千万円も違うのなら、大学に進学して高い学費を払っても得だ、と思うかもしれません。

ですが……。

「こういった格差の数字が、中身をろくに吟味せずに1人歩きし、世の中をミスリードしてしまっています」

こう指摘するのは毛受《めんじょう》芳高さん（1972年生まれ）。名古屋市を拠点に、高校生にインターンシップなどの社会体験の場を提供し、高校生と社会をつなげる活動をする「アスバシ」という一般社団法人の代表理事をしています。この数字のどこに問題があるのか、毛受さんの解説です。

「まず、いまの若いみなさんの生き方としてはありえないモデルをもとにした数字だ、ということです」

学校を卒業してすぐ就職し、その会社で60歳で定年するまでフルタイムの正社員を続け、退職金を受け取り、61歳からフルタイムの非正規社員を続ける。そんな生き方をモデルにして導き出した数字なのです。若いみなさんからの突っ込みが聞こえてきそうです。

昭和か？

大卒で就職したものの3年以内に3割がやめています。ということは、大卒の3分の1には、この統計は当てはまりません。また、転職するのが当たり前になっています。そして、大卒で非正規社員をしている人もいます。つまり、計算のモデルが、令和の時代には珍しい設定になっているのです。しかも……。

「会社の規模で吟味《ぎんみ》すると、高卒が大卒を逆転することもあります」

生涯賃金の数字には、会社の規模別も出しています。男性の場合を見てみると、社員1千人以上の会社では、高卒は3億5６０万円。大卒は3億6千5２０万円。大卒の方が6千万円多くなっています。

1千人以上ということは、大企業です。新しくできたITなどのベンチャー企業は、学歴を気にしないケースが多いので、昔からある、名の知れわたった大企業でしょう。そんな大企業に大卒が入るのは、大変です。就活でのライバルは、有名大学在籍者がずら〜りだからです。

統計の規模別では、１００〜９９９人。10〜99人の数字もあります。１００〜９９９人の中堅《ちゅうけん》企業に入った大卒の生涯賃金は、3億5１０万円。

おや？　そう思った方もいるでしょう。大企業に入った高卒は3億5６０万円でしたね。

つまり、大企業に入った高卒は、中堅企業に入った大卒を、わずかですが上回るのです。

その「逆転」は、10〜99人の中小企業に入った大卒と比べると、さらに顕著《けんちょ》になります。

中小企業に入った大卒は2億6千150万円。つまり、大企業に入った高卒の方が4千万円以上、上回るのです。中堅企業に入った高卒は2億5千390万円。これは、中小企業に入った大卒を約800万円下回るだけです。

「しかも、これらの数字には「男性」という限定があります」と毛受さん。

ユースフル労働統計では、女性の生涯賃金も計算されています。大企業に入った女性では、大卒は2億8千870万円、高卒は2億1千650万円。たしかに格差があります。ですが、中小企業に入った大卒は2億1千70万円と、高卒に「逆転」されています。男女に賃金格差があること自体、大問題ですが……。

さらに、この数字では、この要素が見えません。

奨学金！

大学の学費が高く、何百万円もの奨学金を借りる大学生が少なくありません。社会に出てから奨学金の返済に苦しむ人たちがいます。社会人になった時に抱えてしまう借金。その返済分、生涯賃金には見えないマイナスがあるのです。返済の必要がない給付型奨学金もあります。でも、学業不振、留年、中退などで給付された奨学金が借金となり、返済しなくてはならないことがあります。

たとえば大学生活４年間で学費が４００万円かかるとし、それを返済型の奨学金で借りたら、それは社会人になると借金として背負わなくてはならなくなります。

こうして中身を見てくるとわかります。大卒は高卒より稼げるというのは、必ずしも正しくないどころか、こういう数字を出すこと自体、意味がないことなのです。

「大卒の方が生涯賃金が多いという数字は誤解されやすく、正しく伝えることが難しいので、少なくとも教育現場で使うのはやめてほしい」

そう毛受さんは主張しています。さらに、初任給についても、じっくり考えてほしいそうです。

「たしかに高卒の初任給は、大卒の初任給よりも低い。だから、高卒は給料が安い、と思ってしまうかもしれません。でも、昇給していきます。大卒が入社する22～23歳の時の賃金は差が縮まります。高卒の多い会社だと、高卒と大卒との格差はない、と見ていいのではないでしょうか」

毛受さんは、高校時代、自分がやりたいことは何なのか、を自らに問いました。答えが見つかりません。自分は空っぽだ、と思いました。コンピューターを知っておけばつぶしがきくだろうと思い、大学では情報工学を学びます。世界から大学生が集まる会議に顔を出していたある日、外国の大学生に、こう言われたそうです。

「日本人は、自分の夢や目標をもてないんじゃないか？　それで幸せなの？」

ガーン。ヤバイと思った毛受さんは、いろいろな機会で、こう主張してきました。

日本の教育の在り方が問題だ！

そう言いつつ大学院に進み、IT企業に就職内定をもらいます。ですが……、毛受さんは就職を辞退しました。こう思ったのです。

〈社会の問題を見つけ、解決策も考えた。なのに、何もせずに見過ごすのは敵前逃亡だ。勇気を出して、やってみる〉

こうして、いまの仕事をしているのです。

生涯賃金の格差、その見えない部分を見て、みなさんは思ったことでしょう。

大学に行けば幸せをつかめる。それは幻想だ！

高卒就職しても、キャリアアップはできます。企業の中には、働くなかで学びたいものを見つけた高卒者に、大学で学んでもらう制度を取り入れているところもあります。企業で経験や知識、技能を積み、勉強もする。現場も知っているし営業も抜群という「二刀流」、いや「三刀流」、いいえ万能になれるかもしれません。

将棋のコマに、「歩」がありますね。一歩一歩前にしか進めません。ですが、敵陣に入ると、裏返し。「と金」になります。大活躍できるのです。毛受さんは言います。
「就職を考える高校生のみなさん。キャリアアップをしていけば、飛車や角になるかもしれません。自分で起業すれば王将にだってなれます。一足お先に社会人になる分、それをメリットと考えるのです」
ちなみに、「ユースフル労働統計2023」の5年前、2018の生涯賃金を見てみると
高卒2億5千160万円
大卒3億2千920万円
その差は7千760万円。先述した2023では6千万円の差でした。世の中をミスリードしてしまうデータだけれど、百歩譲ってそれを受け入れたとしても、高卒と大卒の差は確実に少なくなっています。
就活高校生のみなさん。この章では、少し勉強していただきました。これからの章は、みなさんに幸せな就職をしてほしいと頑張っている大人たち、そして社会に飛び立った高卒の人たちが、次々に出てきます。
さあ就活高校生のみなさん、胸をはって前進だ！

コラム・進路いろいろ①　シェフ編

神戸市に「神戸北野ホテル」という赤いれんが造りのホテルがあります。客室はわずか30ですが、中は英国調。朝食は、フランス料理界の重鎮、ベルナール・ロワゾーさんから再現を許された「世界一の朝食」。夜は、総料理長の絶品ディナー。

神戸市出身の俳優、北川景子さんがデビュー20周年の写真集を出した時に、このホテルも撮影場所になりました。

ホテルの総料理長は、山口浩さん。ホテルを運営する会社の社長でもあります。彼もまた、高校卒業して就職しました。劣等感をバネに、行動した人物です。

日本でカラーテレビ放送が始まった1960年、山口さんは兵庫県に生まれました。あのころの少年たちのあこがれは、パイロット。山口さんにも、大空を飛びたいという夢はありました。幼稚園のころ、両親が離婚。家庭的に裕福ではありません。おじさん、おばさんが食堂をやっていて、山口少年は調理場で遊ばせてもらっていました。

つまみぐい、包丁でトントントントン。

中学生のころ、料理人になりたくなりました。高校を卒業したら、大阪の有名調理師学校に行きたいと思ったのですが……。

〈学費が高い、無理やな〉

山口さんが思い描いていた料理人への「サクセスロード」(成功への道)は、次のようなものでした。高校を卒業して有名調理師学校で学び、有名ホテルに就職してさらに料理を覚え、欧州で修業して帰国、料理長にのぼっていく……。

その道のスタートラインにつけません。すこし遠回りして、追いつくしかありません。でも、どうしたらいいのか、見当もつきません。高校を卒業した山口さんは、とりあえず、新聞広告で求人していたファミリーレストランに就職します。

現在の日本には、いくつもファミレスチェーンがあります。だいたい、セントラルキッチンで大量につくった料理を各店舗に運ぶ方法がとられています。でも、当時は、ファミレスは始まったばかり。山口さんが勤めたのは、調理場で一からつくっていく、おしゃれでかっこいい店。シェフは、有名ホテルのシェフの弟子、という人物でした。

家族連れのお客が次々に訪れ、山口さんは忙しく、料理をつくっていきました。

山口さんの頭の中にはいつも、ホテルで働きたい、という思いがありました。シェフにはホテル業界に人脈があることは知っていましたので、「ホテルで働きたい」と言えば言えました。でも、こう言われることが目に見えていました。

「おまえは100%、仕事を覚えたんか?」

5~6年、ファミレスでめいっぱい働きました。そして、シェフに希望を言うと、1年後にオープンすることになっていたホテルを紹介してくれました。

山口さん、23歳の時。ホテルの開業準備室で働き始めます。配属された部門ごとに準備をしていきます。山口さんの配属は、宴会調理でした。結婚披露宴《ひろうえん》や宴会などの料理をつくる部門です。そのとなりでは、フランス料理や日本料理の部門に配属されている人たちが仕事をしています。フレンチの担当者たちは時々、フランス語らしい言葉を使っていました。

そんな人たちは、調理師学校を経てどこかのホテルで働いてきた経験のある人たちでした。山口さんの目には、その人たちは「エリート」に映りました。学校に行くおカネがあったら自分も……。山口さんは、同僚たちに「ファミリーレストランから来ました」とは言えませんでした。コンプレックスがあったのです。山口さんは、自分は調理では劣らないと思いました。劣っていると思ったこと、それは、フランス語がちんぷんかんぷんだったことでした。

オマール、フォアグラ、ピスタチオ……。

これらの食材がフランス語で書かれているのですが、読めません。山口さんは、辞書で調べます。わかりません。いまなら、インターネットで検索すればいいのでしょうが、当時は、アナログの辞書しかありません。アナログでも辞書は辞書です。わかるはずなのに……。不思議です。あきらめずに、山口さんは辞書を引き引き、フランス語を解読していきます。そして、気づいたのです。

〈スペル間違えとるやん。この文法、おかしいで。みんな、フランス語、知らんのや〉

山口さんは、フランス語の学校に行って勉強し始めました。暇があればテープに録音したフランス語をヘッドホンで聞いていました。自分が足りないと思ったことを、必死に、手探りで身につけようとしたのです。宴会の調理の仕事をしっかりしながらです。

上を目指したい、という思いが強まります。フレンチに行きたい、行きたい。

宴会が終わると、出された料理のメニューは捨てられてしまいます。そこで、メニューを1枚持ち帰って研究します。自分の仕事を終えてから、パーティーの席で出す氷彫刻をしている先輩の手伝いをしました。毎月、フランス料理のメニューの写真撮影があったので、その写真のネガを買って、研究しました。200人いる料理人の中で目立たなければあかん、と思っていたのです。27歳で主任になりました。何人かいるシェフの次の地位です。

〈これでコンプレックスがなくなるやろ〉

そう思っていたら、次の気持ちが出てきました。

〈私は日本人だ。そして日本で、異国の料理をしている、これは正しいのか〉

本場フランスに修業に行きたいと考えるようになりました。ただ、ツテもないし、無理かなあと思っていたら……。ホテルにシェフの友だちが来ていました。その人は、フランスのホテルでフレンチを仕切っている人でした。「誰か若い人、来ないかな」と話していると、小耳にはさみました。

足をガクガクさせながら、山口さんはシェフに言いました。

「ボク、フランスに行きたいです」

そして、フランスで3年。修業をしました。確信したのは、自分がしてきたことは間違いなかった、ということです。パリの名店に雇われました。そこで先述した師匠、ロワゾー氏と出会いました。店が神戸に出店することになり、1992年、山口さんは日本に帰って、そこのシェフになります。関西で客単価がいちばん高いといわれた高級フレンチの店でした。順風満帆でいくはずでした。ところが――。

1995年1月17日、早朝。阪神・淡路大震災が起こります。神戸が大きな被害を受け、山口さんの店は、撤退を余儀なくされてしまうのです。

人間は悲しいかな、その人の地位を見て判断してしまう生き物です。山口さんがフランスに行く時、まわりは「まっ、頑張れよ」と言いました。どこまでできるか、お手並み拝見といった気持ちだったのでしょう。フランスから凱旋《がいせん》帰国すると、まわりは「山口さん、山口さん」と、あがめ奉《たてまつ》ります。ところが店が撤退するとなったら、再び「まっ、頑張れよ」に戻ってしまいました。見下してくるわけです。

人間の得意技、手のひら返し、です。

山口さんは、料理人をやめるところまで追い詰められます。ある有名食品メーカーの求人募集を見て入社し、商品開発の仕事を始めます。ですが、昔の大企業のおエラいさん、もとい、役員の中には、ほんとうにエラそうな人が多い。上から目線で、従業員を見下してきます。山口さんはガマンできなくなります。また料理がしたい、と思うようになりました。

高級ホテルで副料理長をしていた友人のところを訪ねると、神戸のホテルが総料理長を探しているというのです。「おまえだったら、やれる」と背中を押され、そのホテルに入りました。行ってみると、もうひどいものでした。調理室で、スタッフはたばこを吸っています。仕事も適当です。

〈ここまで、私も落ちたんか〉

すぐに気を取り直します。料理の世界を冒瀆《ぼうとく》されているようで、これもまたガマンならんわけです。

〈これは何とかせなあかん〉

山口さんは、しっかりとシェフの帽子をかぶり、スタッフひとりひとりと握手して、おはようと声をかけました。また、大震災であぶれてしまった料理人たちに「立て直さなあかんから手伝ってくれ」と声をかけていきます。スタッフの陣容《じんよう》を整え、モチベーションを上げていきます。

さらに、出す料理を変えました。まず、メニューを決めたのです。それまでは、今日の前菜、今日のスープ、今日の肉料理といった、大雑把《おおざっぱ》なものを出していました。お客さんからすれば、何が出てくるのかわかりません。そして、料理をつくる側も、いまある食材からつくればいいや、という甘えが出てきます。

だから、メニューを決めることは、お客さんが安心します。そして、調理をする側にとっては、覚悟が必要となります。これをつくって、お客さまにご満足していただこうと。そして、4年間で再建しました。

大震災で閉館していたホテルがありました。神戸北野ホテルです。ある大企業が資金を投入して再開していたのですが、赤字でした。再建できる人物はいないだろうか。白羽の矢が立ったのが山口さんでした。山口さんは、ここも再建しました。

料理の値段を上げる代わりに、料理人たちが腕によりをかけました。調理の設備は、リース。つまり、自分たちで買うわけではなくて借りるので、安くできます。そして、宿泊客の朝食は、火を通して目玉焼きやソーセージなどを出すアメリカンスタイルから、火を通さない料理を出す形に変えました。火を通す作業には、熟練した技をもつスタッフが必要です。そのスタッフがいらない分、人件費が節約できます。火を通さない朝食は、欧州風。コンチネンタルブレックファースト、と呼ばれます。

そして、山口さんは、ロワゾー氏のお墨付きをもらって、高らかに宣言しました。

「世界一の朝食を、再現しました」

神戸北野ホテルはよみがえり、人気のホテルとなりました。そして、山口さんには、こんな異名がつきました。

ホテルの再建人。

山口さんから、高校生のみなさんへのメッセージです。

「ボクに料理人があっているのかどうか、いまもわかりません。でも、人生、1回きり。

ひとつぐらいはやめずに続けることがなければ、と。それがボクにとっては料理人だったんでしょう。でも、大人は、みんな同じです。いまの仕事がほんとうに自分にあっているのかわからないまま、いま与えられている仕事に励んでいます」

「みなさんの中には、家が金持ちなら大学に行けたし、専門学校に行けたかもしれない、と思っている方がいるかもしれません。でも、それは運命です。受け入れなくてはなりません。だったら、自分が変わりましょう。自分ができる最大限のことができればいいと思うんです」

「将来が不安でしょう。でも、個性を磨《みが》いていけば、必ず光っていける。それを信じて進んでほしい。行動に起こせば、周りに波紋《はもん》を起こせます。その波紋がみなさんの環境を変え、ステップアップにつながるものなのです」

あきらめずにガンバレ！

2章　企業から見た高卒生

社会は大卒だけでは回らない

まずは、高卒が大卒を逆転することもある会社を見に行きましょう。

大阪と東京に本店がある「三和《さんわ》建設」という会社があります。創業は1947年、総合建設業、いわゆるゼネコンと呼ばれる業種です。みなさんが知っている有名ゼネコンがあるとしたら、「鹿島《かしま》建設」、「竹中工務店」、「大成建設」あたりでしょうか。

三和建設の経営理念は「つくるひとをつくる」。建物づくり、お客さまづくり、仲間づくり、信頼づくり……。そのように、さまざまなものをつくるひとをつくる、育てる会社になると宣言しています。

三和建設の社員は160人余りで年商160億円を超えています。社長の森本尚孝さん（1971年生まれ）は4代目で、大阪大学の大学院で建築工学を修了しています。社員のみなさんの学歴も、大学院、大学など、いろいろです。

そう聞くと、高校生のみなさんには遠い存在に感じてしまうかもしれませんね。「私たちには関係ないね」と。あわてないでください。じつは、ナンバー2の専務、辻中敏さん（1972年生まれ）は高卒です。

生まれも育ちも京都。父親がゼネコンの協力会社を経営していました。協力会社とは、ゼネコンから仕事をもらって建設現場でものをつくる会社です。みなさんには、「下請《したう》け」と言った方がわかりやすいかもしれません。

辻中さんは小中学生のころから、夏休みなどは現場に顔を出していました。建設現場で職人さんたちが行き交う足場を組んだり、古い建物の解体を手伝ったり。辻中少年にとって奇妙に感じた光景がありました。

20~30代の若い人が、職人たちにいろいろと指示しているのです。「あれをやっておいて」「これも、それも、やっておいて」。40~50代の人にでも平気に指示しています。

〈あの人たち、何もんだ？　偉そうに〉

その若者たちは、有名なゼネコンから来ていた現場監督でした。父は、息子に言いました。

「おまえが建築の仕事をするなら、ああいう立場に立て。ただし、立場を利用した人間にはなるなよ」

息子は思いました。

〈ボクはゼネコンに入る。でも、ああいう振る舞いはぜったいしない〉

地元の工業高校に進み、建築を学びました。まじめに勉強したので、成績は学年の5本の指に入ります。学校も親も、「推薦で行ける大学に進んだら」と言います。そして、親は、学費を出してくれると言っています。

でも、辻中少年は、親のすねをかじり続けるのがイヤでした。さらに、大学に行っても遊ぶだけだろうな、と思いました。父は「大学で友だちをつくればいいじゃないか」と言ってくれたのですが、将来したいことは、はっきりしています。

1年でも早く技術や知識を身につけたい。そして、京都を出てひとり暮らしがしたい。その条件で、学校に来ていた求人票を見て、三和建設を選んだのでした。

建設現場を希望し、入社の翌日、18歳の4月2日から現場へ。早く現場監督になるために、現場の仕事はもちろん、この工事はいくらで請け負えばいいかという見積もりなども覚えていきます。

辻中さんを強くしたのは、あの大惨事でした。

阪神・淡路大震災。1995年1月17日早朝。兵庫県を直撃した大地震です。

ビルや家が倒れ、火事で焼け野原になった神戸。辻中さんは、そこに立ち尽くします。

〈復旧、そして復興しなければ。それがゼネコンの義務や〉

辻中さんは、協力会社の職人さんたちと、倒壊した家屋などをブルーシートで覆《おお》う作業をしていきます。家屋やマンションの修理、建て直しなどをしていきます。その現場の指示を、辻中さんはしていきます。もちろん、上から目線は、いっさい排除です。会社の先輩たちは、それぞれの復興の現場で手が回りません。復興の現場で、辻中さんは、建設業という仕事に課せられた使命を痛感していくのです。

現場には34歳ごろまでいました。2012年に取締役に。常務を経て2021年に専務となりました。

学歴∧技術力・資格

参鍋《さんなべ》広志さん(1979年生まれ)は、大阪本店次長。工事の責任者で、一級建築施工管理技士などの資格をもっています。彼も高卒です。

子どものころの夢は野球選手。家は裕福ではありませんでしたので、大学に行くという選択肢はありませんでした。工業高校で建築を学び、先生にすすめられて三和建設に。「いまと違って情報がありません。とにかく入社しとこ、という感じでした」とは本人の振り返りです。

現場に行って、思いました。

大阪のゼネコン・三和建設で働く3人．右から工事部門のリーダー参鍋さん，専務の辻中さん，現場監督の冨川さん（写真提供：朝日新聞社）

〈これ、ちょっとしんどいな〉

朝が早かったり、夜が遅かったり。お休み返上もザラ。2年目のある日、参鍋さんは上司に告げました。

「会社やめます。この仕事、自分にあってません」

その上司は、辻中さんに言いました。

「たかが2年で、この仕事の何がわかるんや。この仕事の何割を理解した？　せめて5割以上わかってから言ってこい。オモロいと思えることが、きっとあるから」

ゼネコンの仕事のおもしろさって何だろう、探してみるか。そんな感じで仕事を続けてみました。するとわかったことがありました。

建物を1年後に完成させてお客に引き渡す。そんな工事計画をたてたとします。その1年後に、1日もずれずにしっかり完成させ、引き渡す。そこに建設業のプライドを感じたのです。雨の日があります。風の日があります。台風の日があります。でも、完成の日には、しっかり間に合う。それが、つくる者の誇りなのだと。

頭も体も、めいっぱい使います。半端ではない苦労もします。でも、ひとつひとつつくっていって完成させる。その時の達成感が、やみつきになっていきます。

理解できなかった専門用語が、だんだんわかるようになっていきます。すると、会議で自分の考えを言えるようになっていきます。お〜、なるほどな〜。そう言われると、ますます勉強し、楽しくなってきます。こうしてゼネコンのおもしろさを知った参鍋さんには、新たなモチベーションが生まれました。

〈大卒に負けへん〉

同期入社は12人。高卒は参鍋さんら2人、あとは大卒でした。結局、参鍋さんは出世し、同期の大卒のほとんどは会社をやめていきました。ゼネコンのおもしろさを知った参鍋さんには、どんな学歴の人でもかなわなかったでしょう。

冨川祐司さん（1989年生まれ）も高卒。20代半ばから異例のスピードで現場監督をつとめています。彼のモチベーションも、昇進して大卒同期を追い抜くことでした。

冨川さんの同期は、大卒5人、高卒はいませんでした。入社した時、給与などを決める等級が違いました。高卒の自分は1、大卒の同期は3。何で差をつけるのか、わからん。

〈早く成長して、逆転してやる〉

わからないことは、辻中さんや参鍋さんたちに聞き、実践したのです。「また聞きにきたの？」と言われても、繰り返したのです。そして、大卒の同期を逆転しました。

高卒の女性も、活躍しています。中嶋佳子さん（1977年生まれ）。4人きょうだいのいちばん上。両親に自分1人の負担をかけさせたくなくて大学進学は考えず、商業高校に入りました。警察官になりたくて試験を受けるのですが、ダメ。

ものづくりをしたいと思い、建築関係の部品などをつくる町工場に、事務職として就職しました。採用枠が、事務だけだったのです。でも中嶋さん、ものづくりがしたくて、機械で金属を切って板にして曲げる、その手伝いをしていました。部品は、どんな風に使われるのか知りたくて、工事現場にもついていきました。ところが、ほどなくその会社は倒産してしまいます。大手の建材会社に入って、「一級建築施工管理技士」を取ります。建物の建設計画づくりや、作業員の安全管理など建設現場のすべてを仕切ることができる国家資格です。

そして、２０１８年夏、中嶋さんは41歳で三和建設に転職しました。

〈やっぱり、自分の手で建物をつくりたい〉

現場で技能を磨き、２０２２年、三和建設の現場で初の女性所長になりました。所長とは、建設現場の総責任者。この会社では10人余りいて、それぞれが、それぞれの現場を仕切っています。

さて所長になった中嶋さんは、働き方の見本を見せようと心がけています。どんなに残業があっても夜8時には終わらせるのです。そして、「お疲れ、お先に」と率先して早く帰っています。もちろん、工事の進み具合はぬかりなく管理したうえでのことです。そしてリモートでできる仕事は自宅でする、これも大切だと考えてきました。仕事は柔軟にしたいものです。

建設現場は、午前0時を超えての残業は当たり前。そんな「男社会」がつくってしまったイメージを、中嶋さんは率先して変えようとしています。

建設現場は２０２４年度から、残業時間が規制される「働き方改革」が実施されます。その対応のひとつのモデルが、中嶋さんです。また、三和建設では、炎天下の作業での熱中症を防ぐため、ミネラルが豊富な「しおゼリー」を独自に開発、作業員に配っています。さすが、つくるひとをつくる会社です。

目指せ！　学歴のバリアフリー

三和建設の役員と経営幹部、その4分の1が高卒です。つまり学歴は関係なく、入社後の成長がすべてなのです。ところが2009年春を最後に、高卒入社はありませんでした。大学に進む生徒が多く、高校を卒業して就職する人が少なくて取り合いになっているのです。

そこで、三和建設は2022年度、高卒初任給を3万円余り上げて20万4千円にしました。高卒と大卒の学歴による処遇の差を、実質的になくしたのです。18歳の高卒と22歳の大卒の初任給の差は、月6千円。ふつうに働いていても高卒が22歳になるころには大卒初任給を上回っている計算です。もちろん、頑張れば頑張るほど、大卒初任給を上回るのが早くなります。

目指しているのは、「学歴のバリアフリー」。社長の森本さんが言います。

「大学院、大学生、高卒。いろいろなキャリア、世代の人を新入社員で迎えること、男女も含めて。その多様性が、さまざまな発想につながり、会社に活性化を生むと思うのです。ダイバーシティが大切だと思うのです」

高卒のすばらしさは、何でもやります、という姿勢なのだそうです。まずは与えられた環境で頑張ってみる、という点だそうです。大学で4年間すごしてきた大卒は、同級生たちと自分を比べて、「あっちの仕事の方がよかった」「あいつがうらやましい」と邪念《じゃねん》が生まれてしまうものです。

「自分のやりたいことがあるのなら、大学、大学院に進むのは、ありです。でも、親が行けと言うとか、周りが行くからという理由で大学に行っとこ、というのは考え直した方がいいのではないでしょうか」

大学全入の是非《ぜひ》を問うべきだ、と森本さんは考えています。そして、2023年春、三和建設に14年ぶりの高卒新入社員が誕生しました。澤菜津実さん(2004年生まれ)。テレビ番組「大改造!! 劇的ビフォーアフター」を見て、建設業に興味をもち、大阪の高校で建築を学びました。家は裕福ではないし、現場でこそ技術が身につく、と澤さん。

「建築の資格に、学歴はいりません」

高校3年生の時点で、澤さんは三和建設という存在は知りませんでした。高校の先輩がいるわけでもありません。ですが、三和建設の人が学校訪問をしてくれたことがありました。そして、7月の求人票公開。先生のすすめもあって、三和建設へ。

「「つくるひとをつくる」。その経営理念が、私の心に刺さりました」

半年間の新入社員研修を終えて10月、見積もりグループに配属されました。この建設工事の予算はいくらか、などと見積もる仕事です。図面を見る力をつけてほしい、と言われています。「徹底的に、力をつけてみせます」

「いまここにある危機」を救うのは誰？

「いまここにある危機」を救う若者に、会いに行きます。

まずは、東京都八王子市にある「中央軌道工業」。創業は1988年。レールや枕木《まくらぎ》の敷設など、鉄道の安全と便利さを守る企業のひとつです。東京駅から西へ、西へと快速電車に揺られて約1時間、八王子駅に着きます。鉄道って便利だなあと思いつつ、バスに乗って、中央軌道へ。

若者が2人、待っていてくれました。1人は葛西隆生《りゅうき》さん(2002年生まれ)。秋田県から2021年に出てきました。漁師をしている母の手1本、シングルマザーの家庭で育ちました。ですから、高校を卒業したあとの選択肢は、働く、の1択。高校の先生が中央軌道をすすめてくれたそうです。終電から始発までが勝負、の仕事です。

レールや枕木の敷設を始め，鉄道の安全を守る中央軌道で働く葛西さん(右)と樋山さん(写真提供：朝日新聞社)

「工事にかかわった新路線に電車が走った時の感動は、忘れられません」

もう1人は、2022年春入社の樋山詩音《しおん》さん(2003年生まれ)。福島県出身。やりたいことがないので、とりあえず大学に進もうかなと思っていたら、きょうだいが多いという理由で両親に却下されました。それもそうだ、両親の助けになればと、就職しました。

「筋肉なし、体力なし。でも、電車を使う方々のため、がむしゃらです」

　中央軌道は、創業から三十数年たっていますが、社員の高齢化が進んでいます。若手がいないので、外国の方々の力を借りてきました。私たちが使っている鉄道の安全を、外国人のみなさんが担っていたということになります。しかし、外国から来てくれている技能実習生は、働ける期間に制限があります。さらに、外国の方々の労働をめぐる決まりは、しょっちゅう変わります。会社の存続のためには、一から若い人を育てなくてはなりません。

中央軌道は、中途採用もしてきました。でも、残る人は1～2割で、多くがやめてしまうそうです。終電が終わってから始発までが勝負という大変な仕事です。ほかの業界を経験してきた人にとっては、厳しい業界なのでしょう。

採用を担当する役員の丸山久徳さん（1963年生まれ）は言います。

「もともとは出稼ぎの方々によって成り立っていた仕事ですしね」

東北や北海道が雪で仕事ができない時期、東京に出てくる方々が稼ぎに来ていたのです。大変な仕事ですが、稼げれば、家族に仕送りができます。

「そこで、5年ほど前から高卒採用に力を入れてきました」

丸山さんに聞いてみました。

高卒社員が入社してこなかったら、何が起こりますか？

「事情は他社も同じです。高齢化した社員がリタイアしていきますので……、事故が多発して、鉄道路線がマヒしますね」

マジッすか？

「マジです」

中央軌道は、若者向けにパンフレットを作っています。表紙には、大きくこう記しました。

「鉄道好き集まれ！　長く長く続くこのレール。この先の未来を作り出すのが私たちの使命。」

取材をさせていただいた日、葛西さんは午前3時半まで、地下鉄でレールを計測。樋山さんは午前4時まで、私鉄でレールをくっつけました。電車に安心して乗れる幸せに包まれ、私は八王子駅から東京駅に戻りました。葛西さんも樋山さんも、日本の救世主です。


別の日、千葉市に本社がある「千葉パワーテクノ」の現場を訪ねました。電力工事で千葉県民の暮らしを支えて50年を超える会社です。

野村侑矢《ゆうや》さん（2002年生まれ）。2021年の春に入社しました。子どものころから電気に興味津々。なぜ明かりがつくの、なぜ物が動くの？　工業高校で学び、決意しました。

〈自分も電気を供給する側に立ちたい〉

電気工事には力仕事もあるし、高所での作業もある。覚えることも、た～くさん。停電などで緊急出動も、たまにある。
「でも、明かりがともる。うれしくて、うれしくて」
千葉パワーテクノも危機感だらけです。技術者の中心は50代。彼らがリタイアしたら、事業が続きません。電気インフラが崩壊したら、暮らしが崩壊します。

地元の高校生を採用してきました。そして、何となく集まっていました。若者が来なくなったなあと気づいたころには、みんな50代になってしまっていたそうです。

「自分も電気を供給する側に立ちたい」と入社を決めた野村さん．力仕事，高所での作業もこなす（写真提供：朝日新聞社）

目標、毎年４人。そう掲げて、高校生向けのイベントに参加するなど、３年前から高卒採用に力を入れています。ですが、２０２３年の春は入社ゼロ。「高校生のみなさん。社会の救世主になりませんか」と、採用担当の竹内秀聡さん（１９７２年生まれ）。

電気の安定供給。私たちはそれを「当たり前」だと思っています。それを支えている方々のおかげです。そして、いまのままでは、やばい。ちなみに、若者向けパンフには、こう記されていました。

「明日の電力設備を作る、そして守る。」

24年春、6人の高卒社員が入ってくることになったそうです。みなさん、電気のピンチを救ってください。

野村さんの喜びは、毎日、家の明かりがともること。電気を送り届けることができることが、心底うれしいのです。「地域の方に「ありがとう」と声をかけられることもあります。こちらこそ、お役に立てて良かった、うれしいです」

休日は、しっかりあります。SF小説を読んだり、趣味のフィギュア集めをしたり。お気に入りのフィギュアは、宇宙怪獣ガイガン。ゴジラの宿敵です。

必要とされている！

2011年3月11日の金曜日、東日本大震災が起こりました。

大津波で、多くのモノが流されてしまいました。流されたモノの中に、公衆電話がありました。携帯電話の普及で公衆電話は減っていました。しかし、まだまだありました。

宮城県の仙台市にある「ＴＥサービス東北」。宮城県内の公衆電話の設備の仕事をすることを事業のひとつとする会社です。大震災の日。宮城県も津波に襲われました。道路が通れなくなるなど、移動がしにくくなります。翌土曜日に社員のみなさんは何とか会社に集まったのですが……、夕方、ＮＴＴから電話がありました。

「避難所に臨時電話を引いてほしい」

避難場所になっている小学校に、電話を引いていきます。そして一段落したら、電話が鳴りやまなくなりました。公衆電話、一般家庭の電話などの修理の依頼です。社員は、各地に散って作業をしていきます。

すると、修理に行ったご近所のみなさんから、うちもお願い、うちも、うちもと依頼されたのです。さらに、仮設住宅に電話を引く仕事もありました。専務の石井健人さん（１９７７年生まれ）は振り返ります。

「私たちは必要とされている。そう実感しました。使えなくなっていたものが直ると、お客様が感謝してくれるんです。うれしくて、うれしくて」

電話は大切なインフラです。つながるのは当たり前、と思っています。その当たり前を支えている仕事は、とてつもなく尊いのです。

TEサービスは、インターネット回線の仕事もしています。たとえば、新しいオフィス、お店などができると、ネット環境を整えてください、と依頼が来ます。古いビルの中に入った新しいテナントからも、依頼が来ます。ビルが古すぎて難しくても、何とかこなしています。

ていねいに、着実に作業をしていくと、評判が評判を呼び、仕事が増えていきます。

「人員がいれば何とか対応できるのです。でも、人手が……」

TEサービスは、ハローワークで中途採用を募集していました。また、知り合いのつてを頼って採用してきました。そんな人たちがいま、40代になっています。バリバリの働き盛りです。だから、いまはいいのです。でも、これからのことを考えると、若い人材が必要です。

そこで、2022年から、高卒採用に力を入れ始めました。

「簡単に戦力になれる仕事ではありません。時間がかかります。だからこそ、いま動かなくてはまずい」

OBがいるというパイプもあって、毎年1人、高校生を採用できています。

石井さんは、地元の会社の青年たちの中心的な存在です。

「どこの会社も、求人難、人手不足で悩んでいます。高校生のみなさんは、行けば大事にされますよ。大丈夫です、心配はいりません」

この原稿を書いているのは2024年のお正月。北陸で大地震が発生し、多くの方が亡くなり、建物などが倒壊してしまいました。電話もつながりにくくなるなど、混乱が起こっています。インフラの大切さをあらためて感じます。そして、あなたの、あなたの、そして私が住んでいる場所で、災害が発生するかもしれません。

いまそこにある危機を支えるのは、若いみなさんです。

一流の社会人になる条件

大災害で被害にあった街が元通りになろうとしている。そんな時に必要なのは、スーパーやコンビニなどのお店です。生きていくための食料を提供してくれるのですから。

愛知県にある「ダルマ産業」は、業務用の冷蔵庫やショーケースなどを、つくった会社から必要とする店などへ運び、設置している会社です。東海地方を中心に、関東や関西などでも仕事をしています。

みなさんがコンビニやスーパーに行くと、冷たい飲み物などの商品が並んでいますね。あのケースなどを設置しているのです。ああいう冷える棚をつくっている電機メーカーから壊れないように運んでいるのです。私たちが買い物できるのは、ダルマ産業のような会社のおかげなのです。存在は知られていないけれど社会を支えています。大切なものを、厳格な品質管理や秘密保持契約のもと、運んでいます。機械は精密なので、運ぶのは大変です。ちょっとしたミスで、壊れてしまうかもしれません。

何か失敗してしまった時。失敗にはいたらなかったけれど、ヒヤリとしたり、ハッとしたりした時。ダルマ産業では、そんなヒヤリハットを、社員にきちんと報告させています。しかも、マイナス評価をせず、プラス評価をするのです。社内を良い方向へ変えてくれるきっかけやみんなでこう変えていこう、というきっかけをつくってくれたから、というのです。

いま、企業の中でミスを隠そうとする問題が続出しています。たとえば、自動車メーカーの「ダイハツ」で、2023年、大問題が発覚しました。30年以上にわたってエアバッグの性能試験をごまかすなど、安全軽視とも言えることをしてきたのです。三菱電機、日立金属……。挙げればきりがなさそうなので、やめておきます。

ミス。それは、仕事を真剣にしていても、必ず起こります。上司の目を見て、黙っておく。これが、次の、そしてまた次のミスにつながります。結局、大損害となります。

「ミスを次の成功につなげます。自分の上司に文句を言うとかできない社会になっているけれど、うちの会社は、部下から上司を評価するシステムにしています」

そう語る3代目社長、阿曽相治《しょうじ》さん（1956年生まれ）。3代目ではありますが、父たちといっしょにこの会社をつくった創業者の1人です。阿曽さんも、高卒です。高校を卒業する時、会社を経営している自分を想像することはできませんでした。学校に来ていた求人票のうち、いちばん給料の高いところに行こうと、ある鉄鋼関連メーカーに就職しました。9年間、徹底的にしぼられます。それから、父や、その知人たちに、この会社をつくるからおまえも来い、と言われたのです。

「ダルマ産業」。この社名は、七転び八起き。つぶれない、倒れないという思いをこめて、阿曽さんがつけました。社員30人のうち高卒は2人、中卒もいます。阿曽さんは、語ります。

「大卒の人は、学力的には優れているのかもしれません。でも、ボクらから見たら、一般常識の欠如、倫理感がメチャクチャに思えます。あいさつができない、返事もしない、しゃべらない。大卒だから出来がいいというのではないと思います」

「入社してくれたら、ビジネスマナーを学んでもらいます。運転にかかわる免許も取ってもらいます。仕事に使う資格も取ってもらいます。労災についても学んでもらいます。大企業に出入りすることになります。中には、講習を受けていないと出入り禁止、という企業もあります。だから、高卒だろうと関係ない、一流の社会人になってもらいます」

スーパー、コンビニ……。ダルマ産業には、そのインフラを守るという社会的使命が、あります。


若いみなさん、力を貸してください！


千葉県八街《やちまた》市にある「総武建設」。1982年に創業。2代目社長の小籔《こやぶ》和美さん（1982年生まれ）もまた、危機感でいっぱいです。

「土木の世界も、技能が継承できるかどうか、ギリギリです」

何もないまっさらな土地を整備していく造成工事や、建物が完成してから庭をつくる工事。そういった職人技の継承は、これまで、職人の世襲《せしゅう》、親方と弟子、のような関係の中で受け継がれてきました。

ですが、時代は変わり、職人の世界が縮こまってしまいました。入ってくる若者がいないのです。技能実習生など外国人の方々は、現在の戦力にはなりますが、いまの日本の、短期雇用しか認めていない制度では、技能の継承は無理です。だから、高校生の採用に力を入れているのです。

「土木の技能だけでなく、人間力もつけてもらいます」

小籔さんは、土木施工管理技士などの資格をもちます。ですが、もともとは早稲田大学を卒業してIT企業に入社、マーケティングをしていた人です。2009年に父から経営を引き継ぎました。

「家業を継いで、職人は技術者だと痛感しました。そして、高齢化が進んでいることに驚きました。何とかしたいのです。世の中を支える仕事は、すばらしいもの。若いみなさん、どうか、力を貸してください」

高校生のみなさん。ここに書いてきた企業は、ごく一例にすぎません。私たちの暮らしを支えている企業は、たくさんあります。

救世主になりませんか?

企業は、現状維持で甘んじていると、存在があやうくなります。時代が変わっていくからです。ライバル会社が出てきて競争が激しくなることもあるからです。事業をする環境が変わるのです。

大阪のシンボル、通天閣《つうてんかく》。その近くに「串かつだるま」の本社があります。「ソース二度漬け禁止」のおきてを世に広げた、大阪名物である串かつのチェーンです。ここの店舗戦略の中心が、高卒採用です。

２０２２年に入社した岡本涼汰さん（２００４年生まれ）。子どものころの夢は、ウルトラマンになることでした。子どもの時に一度は夢見たことがある人も、多いでしょう。将来のことはぜんぜん考えていなくて、とりあえず高校に進みました。

大学に行くための受験勉強、しんどいなあ。だから、就職しようと考えます。コンビニのバイトをしていた経験から、お客とのコミュニケーションをする接客業に進みたいと考えます。学校に来ていた求人票の中に、「串かつだるま」がありました。接客できるし、料理もつくれます。串かつをあげるなんて、ほかの飲食では経験できません。給料もそれなりに良いし。

会社を訪問し、串かつを食べさせてもらいました。初めての味に、おいしい、と感激。これが二度漬け禁止で有名なソースか～、と感動しました。

岡本さんが働いている店は、大阪市の大繁華街、ミナミにあります。新型コロナウイルスの流行が落ち着き、お客が戻ってきました。とくに外国人観光客が増えています。いわゆるインバウンドの需要が増えています。大忙しです。岡本さんは、気合いでコミュニケーションをとり、本人いわく、へたくそな英語で説明しています。

「串かつだるま」を運営する会社は「一門会」といいます。大阪から出ないという方針で、出店してきました。ですが、京都にも1店、出すことができました。「大阪名物、大阪文化を広げていくためにも、他県に出店する可能性は、ゼロではありません。いまある店をしっかり運営しつつ次のステップを考えた時、高卒の若い力が必要です」と、営業部の本部長、笹部英宏さん（1970年生まれ）。

ある日、岡本さんに内緒で、店を訪ねました。店にお客があふれています。岡本さんは、元気に働いていました。さて、串かつを食べようかな～、そうか、コロナ禍でソースはかける方式にしているんでした。二度漬け禁止の復活は少し先になりそうです、ざんねん。


もう1社、食べ物の会社にうかがいました。

広島県は呉市、瀬戸内海をのぞむ山の中腹にある「瀬戸鉄工」です。1970年創業。社名に鉄工とあるので想像できると思いますが、もともとは鉄工所でした。そこに、プラスチックの加工の仕事が加わります。駄菓子《だがし》を入れるプラスチック容器をつくっていたのがきっかけで、ある食品をつくる機械開発の仕事が舞い込み、さらに、その食品そのものを生産するようになりました。

その食品の名は、「イカの姿フライ」。スーパーやコンビニに行くと売っています。さきイカのような珍味ではないし。お菓子でもない。大人も子どもも食べる食品です。昭和の時代に生まれた食品だそうです。

瀬戸鉄工では、この姿フライを1日80万枚ほどつくっています。姿フライ市場の多くを占めています。もともとの本業だった鉄工所などの仕事は、事業全体の1割未満。いまや、9割以上が姿フライを軸にした食品事業です。業態転換に大成功したのです。別の会社のようになった、第2の創業を果たしたのです。社員は50人ほど、パートなどをあわせると80人ほどになります。

3代目社長の瀬戸勝尋さん(1973年生まれ)は数年前から、高校生の採用に力を入れてきました。それまでの採用は、ご近所の人や、知り合いのつてなど。口コミのような採用でした。でも、なかなか来てくれません。そこで、大卒を採用してみました。ところが、採用の形が違うこともあって、人間関係がギクシャクしてしまいました。

そこで、瀬戸さんは、高卒採用に舵《かじ》を切りました。第2の創業に成功した瀬戸鉄工は、これからも、変わっていかなくてはなりません。そのチャレンジに必要なのは、若い高卒のみなさんなのです。2023年の春に1人、24年の春に1人、採用できました。

「高卒は若く、真っ白です。頑張っている姿を見て、パートさんたちは目を細める。中には「私をお母さんと呼んでね」などと可愛がっているパートさんもいます」

鉄工所から食品メーカーに姿を変えた瀬戸鉄工。いままでたくさんの社員、パートが歴史をつないでくれたおかげです。瀬戸さんは、みなさんに感謝しています。

ただ、時代は、つねに変わっています。会社の歴史を5年後、10年後、さらにその先につないでいくには、いま、若い人材をそろえていかなくてはなりません。新しい発想が、ぜったいに必要なのだから。

瀬戸さんは、先代である父の急死をうけ、31歳で社長になりました。

「高卒生も10年余りたてば、私が社長になった時と同じ年齢になります。リーダーシップを発揮できる人材になってくれるはずです」

就職を考えている高校生へのメッセージはありますか?

「うちに限らず、どこの会社の経営者も、何か新しいことにチャレンジしていかなくてはと思っています。若い人は、自由に絵を描ける画材、素質をもっています。会社は、真っ白いカンバスを用意しているので、自由に未来を描いてほしいと思います」

企業は、利益を求める存在です。でも、利益のためだけに存在しているわけではありません。ささやかな幸せの光景をつくるのも、企業の役割です。

新しい朝が来ました。

春日部耀さん（2004年生まれ）は、あわただしく出勤の準備をしています。彼女は2023年春、高校を卒業し、大阪で家づくりなどのさまざまな工事を手がけている「IWTカンパニー」で働き始めました。母が病気で歩けない状態だったので、世話をしていました。弟もいるので、家事も懸命にこなしました。春日部さんがもうすぐ高校3年生になる冬、母は亡くなりました。

大学や専門学校志望の友だちも多かったけれど、彼女は、はじめから就職するつもりでした。パソコンを使いこなして会社を支える事務の仕事がしたかった。そして、高校に来ていた求人から2社を選び、面接にのぞみます。大阪府は2022年度に、それまでの1人1社制から1人2社制に移っています。

でも、ダメでした。事務をしたいという思いをあきらめずに就職先を探し、巡り合ったのがIWTだったのです。2008年にIWTをつくったのは高卒の社長、平川保文さん

（1977年生まれ）。職人あがりの平川さんは、こう語ります。

「苦労や挫折を乗り越えた若者は、自分を高めたいという思いが強く、信頼できます。私は断言します、苦労しているあなたは、大切な人材です」

バタバタと身なりを整えた春日部さん。正座をして、母の遺影に声をかけます。

「行ってくるね、お母さん」

自転車に乗って会社へ。冬の風は、冷たい。

もうすぐ春がやってくる。後輩が入社してくる。

今日も、頑張るぞ〜。

早期離職はなぜ多い？

ここまで、高校生を大歓迎し、大切に育てていこうと考えている企業を見てきました。

でも、疑問がわいてきました。

こんなにステキな会社ばかりではないはずです。だって、高卒の早期離職が多いのですから。その答えのひとつを、語ってくださった経営者がいます。

東京の代官山で、ジュエリー（宝石）の店を経営している「VOYAGE《ボヤージュ》」の社長、秋田大輔さんです。

秋田さんは、高校を卒業し、あるジュエリー会社に就職しました。ジュエリーに興味があったわけではありません。友人がその会社に受かったので、じゃあオレも、と入社したのです。ジュエリーが好きだったわけではありません。どうすればお客さまが喜んでくれるかばかりを考えていました。その思考は、給料の歩合の部分に直結していました。そして、何百人もいた営業担当のうち、トップの成績をキープしていました。

でも、5年でやめました。トップセールスなので給料はいいですし、社内でも一目置かれる存在です。でも、働き続けるのはムリだ、と思ったのです。

その理由は、居心地《いごこち》の悪さでした。上司と価値観が合わず、そこで働いていることに疑問を抱くようになります。会社をやめ、独立しようと2020年に起業、店を開きました。2020年はコロナ禍が始まった年ですので、予定外のことが起こります。店をなかなかオープンできず、思い悩んだ時期もありました。

ココロ踊るシゴトをしよう。お客さまの人生をより豊かに彩ろう。秋田さんはそんな考えで、ジュエリーを販売しています。2023年に高卒が4人入社し、スタッフは10人ほどに。24年春には、さらに7人の高卒が入ってきます。新規出店が視野に入ってきています。

秋田さんは言います。

「高卒の最大の武器は、若いということです。入社した企業が自分に合わないと思ったら、逃げていい。ひとつのところに居続けることは、尊いことでも何でもない。ここで頑張りたいと思える場所に巡り合うまで逃げ続けたっていい。自分が輝ける場所を見つけるために、大卒たちと比べてもっている4年間のアドバンテージを使ったっていい。みなさん、理想の企業に出会ってください」

石の上にも三年、ということわざがあります。継続は力なり、という言葉もあります。確かに、それは正しい。でも、秋田さんが言うように、逃げるという選択もまた、正しい。頑張り続けて心の病になってしまったら、復活するのに何年もかかってしまうことがあります。

いくつもの会社を見て、仕事を経験して、考えて。そして納得したうえでの就職だったのなら、会社に居続けるのもやめるのも、あなたの人生にとっての大切な経験になると思います。あまり考えず、行動もしないままに就職して、苦しんでしまう。それだけは、やめてください。きっと大人たちの中には、こう考える人が出てきます。

自業自得だよね。

そう言われて、どう思いますか？　カッチーン。頭に来ますよね。だから、行動あるのみ！

コラム・進路いろいろ② ファイナンシャル・プランナー編

「ファイナンシャル・プランナー」、略してFP。そう呼ばれるお仕事をご存じでしょうか。生活費のやりくり、住宅資金、教育資金、老後資金。そのほかさまざまなお金にかかわる相談を受けて、お金の計画をたてるお手伝いをする仕事です。

大阪市にFPの事務所をかまえる篠原充彦《あつひこ》さん(1972年生まれ)も高卒です。彼は、お笑い芸人をあきらめて会社員になり、いまに至ります。子どものころからお笑いが好きで、高校生になった時には芸人になると決めていました。高校での文化祭で、「けんか強い」という小ネタを考えて、漫才をしました。

向こうから怖そうな3人が歩いてきます。おー、かかってこいや。その前に……、ランドセル降ろせや。なんや小学生かい……。

大受けです。芸人の道、確定です。

母は、大学に行け、大学に行け、と言います。級友たちも大学に進学する子たちばかりでした。高3の2月、母が病気で入院しました。「大丈夫や、3、4日で治るわ」と言っていましたが、入院は長引きました。そして、3月、卒業証書を持って病院に見舞うと、母は言ったのです。

「あつひこ、好きなことしいや」

篠原さんは思いました。

〈おかん、どうしたんやろ、へんなこと言うな～〉

その日の夜、母の容体は急変、脳死《のうし》状態になってしまいました。医療機器で生かされていましたが、後に、別れを決断することとなります。

さて、母の応援を感じた篠原さんは、1年間、昼も夜も飲食店でバイトをしてお金をためました。

〈おかんを笑わせられんかったな～〉

そんな後悔もあり、バイトに精を出します。そして1年がたち、あるお笑い芸人養成所の門をたたきます。

NSC。吉本興業が運営する芸人養成所です。NSCに入学する時には、面接があるそうです。ただ、篠原さんの証言などを総合すると……、かまずに名前を言えたら合格、なのだとか。同期には、いまをときめく売れっ子がいます。

ケンドーコバヤシさん。陣内智則さん……。

毎週木曜日は、漫才のネタ見せです。同期の前で漫才をするのですが、みんな、ぜったい、笑いません。篠原さんも、笑ったら負けよ、と思っていました。

おいおい、にらめっこかい。

でも、中川家の漫才だけは笑ってしまいました。1年間のNSC通いを終え、漫才コンビ「ICE《アイス》―GIRL《ガール》」は、華々しく活躍……、とはいきませんでした。1999年、解散。篠原さんは芸人の道をあきらめました。

26歳の篠原さんは、生きるため、浄水器《じょうすいき》などの販売をする会社に就職しました。基本給は12万円、あとは歩合です。企業、飲食店などに飛び込み営業をして、浄水器、ウォーターサーバーなどを売り込みます。でも、まったく売れませんでした。

すると、朝礼で、上司から、くそみそに怒鳴られます。そして、会社の社訓である「おれはできる」を30回、叫ばされます。おれはできる、が社訓って、何やねんと思いますね。昔は、そうだったんです。24時間戦え、だったんです。

でも、篠原さんは思いました。

〈これって、楽園じゃんか。天国じゃね?〉

芸人の時は、何の補償もありません。でも、固定給12万円が入ってくるのです。そして、芸人の世界とは違うことがあります。それは人のマネが、ありなのです。篠原さんは売れっ子、失礼しました、売っている営業担当者を人間観察し、自分に取り入れていきます。入社して半年間、売り上げゼロの底辺でいた男は、その半年後、営業トップに躍り出ました。アイス・ガールが、シンデレラ・ボーイになりました。

高校を卒業して、芸人の道をあきらめて、会社員になっていた篠原さん。彼の人生を変える日が、やってきます。29歳のある日、焼き鳥屋に営業に行きました。大卒の新人を連れての飛び込み営業で、いいところを見せようという皮算用《かわざんよう》があったのですが……。

浄水器やウォーターサーバーを売り込んでも、主人はノーを言い続けます。その時でした。大卒の新人が、説明し始めるのです。ランニングコストはいくらです。費用対効果はこうです。損益分岐点はこうです……。

数字を根拠に、主人にプレゼンしていくのです。その様子を見て、怒りを覚えた篠原さん。営業のあと、新人に聞きました。

「なんで、あんなこと知ってんの？」

「ぼく、税理士を目指してたんです。試験は落ちたんですけどね、ははは」

篠原さんは思いました。

〈知識がいるぞ、勉強せなあかん〉

稼げる資格という本を見ると、税理士は大学行かなきゃだめとか、高卒でも実務経験がないとだめとか、書いてありました。

ところが、FPは、誰でもなれるとあったのです。アメリカのお金持ちはお抱え弁護士、お抱えの医師、そして、お抱えのFPがいる。日本もそうなるだろうと書いてあったのです。

専門学校に通い始めた篠原さんは、ガスに関連した完全歩合制の仕事に転職。成績が上がってるんだから文句はないだろうと、勉強に集中しました。33歳で、国際的なライセンスともいえる資格をとります。

そして、毎月1回、お笑いマネー講座との名で、笑わせながら話をしていきます。はじめの受講生は3人。「話がおもろいわ～」と、それが5人、10人。1年後には30人となりました。その活動をホームページに上げると、問い合わせが来るようになり、全国各地で、お金の話をするようになり、いまがあります。

いまの高校生へ。

「やりたいことを手をぬかず、いっしょうけんめいやってください。それまでやってきたことが積み重なっていくと、花開く時が来ると思います。お金の話にたとえるなら……。スタートが元本として、その元本だけに金利がつく単利ではなくて、スタートから経験という金利がついて増えたお金全体に金利がつき、さらに増えていく。複利になります」

3章　高校の現場では

学校現場の熱い取り組み・その1

就活高校生が、ここに行きたいと心の底から思える会社を見つけてあげたい。そんな熱い心をもった先生たちに会いに行きます。

まずは、千葉市にある千葉県立京葉工業高校。そこの進路指導主事、今野啓佑さん（1989年生まれ）。2017年ごろから進路指導を担当しています。3年生の生徒数は、2023年春時点で184人。うち就職希望は74人で、全員が採用内定をゲットしました。

今野さんは、生徒さんに、さしあたって、こう言うのだそうです。

「就職活動を、高校2年の11月ぐらいから始めよう」

どんな業種があるのか、どんな会社があるのか、調べてもらう。そのうえで、生徒を連れて会社を訪問することもあります。今野さんの言う前に、すでに企業へのインターンをしている生徒もいるのだとか。

そして、3年生の1学期、つまり求人票公開の前に、会社関係者に学校に来てもらうのだそうです。4～6月には、1日数社、当たり前のように来てくれるとか。来てくれる会社の名は、1週間前に学校に張り出すので、興味のある会社が来た時、生徒は話を聞きます。

「調べることより大事なのは、会って話を聞くことです」

千葉県は、1人1社制です。だから、ハローワークに確認したうえでの活動をしているそうです。7月1日以降にそれをするとルール違反になりかねないので気をつけてと言われているとか。

「『求人票が公開されたぞ、さあ1社選べ』なんて、生徒たちにとって、あまりにも酷《こく》です。私はそう思います」

だからこそ、生徒たちには早くからの就活をすすめているのです。

高卒者の早期離職。この問題を、今野さんも重く受け止めています。

「早期離職による転職は、キャリアダウンと見られてしまいがちなので、最初に入った会社にガマンしている子もいます。だからこそ、最初の1社が肝心《かんじん》です」

自分自身についての理解と、会社の理解とをどれだけ深めていくかがカギだといいます。

「会社に入ってからの人間関係は計算できないのですが、少なくとも、こんなはずじゃなかった、というのをなくさなければなりません」

今野さんは、1年生、2年生にはこうハッパをかけています。

どこでも働ける自分をつくれ！

誰とでも働ける自分をつくれ！

何でもできちゃう自分をつくれ！

「これができたら、少なくとも3年離職を脱出できる、かもしれません」

3年頑張ったら、その会社で働き続けることができるかもしれません。3年後の転職なら、キャリアダウンではなく、キャリアアップと認められるでしょう、きっと。そんな話をしていたら、2人の3年生が来てくれました。

機械科の鷹野楽さん（2006年生まれ）。ものづくり大好き少年です。中学生のころ、学校で技術の時間がありましたが、満足できません。ものづくりの世界で、自分がどこまで行けるのか。それを確かめようと京葉工業に入りました。

2年生の12月ごろから、いろいろな会社を見学しに行きました。製造業、鉄道など、いろいろです。

〈ここはボクに合わないな〉

〈10年後、20年後の自分が、この会社で輝いている姿が見えないな〉

〈仕事の幅が狭いので、ものたりないかな〉

そんな風に見極めつつの見学です。ある有名自動車メーカーに勤めている高校の先輩が、高校に来てくれました。体験談を聞くうちに、その土俵にボクも立ちたいと心を震わせます。求人票が来ていたので、もちろん応募、入社内定を決めました。

自動車業界は、激動の時代に突入しています。ガソリン車を超える次世代の車は、どの形になるのか。そして、どのメーカーが世界の先を行くのか。その闘いの中に、2024年春、鷹野さんは身を投じます。

今野さんは言います。

「実は、大手有名メーカーに入りたいのなら、工業高校への進学は有効な手段なんです」

大学を卒業後に就職したくても、そういう大手有名メーカーの就活では、超有名大学の学生がずらりと応募、競わなくてはなりません。求人票が来れば、高校生の時に入社できるのです。もちろん、校内に希望者がたくさんいることもあるので、ふだんから人間力を磨かなくてはなりませんが。とはいえ、大学生の時の就職活動より工業高校に入れば大手メーカーに入社しやすい、のだそうです。

もう1人来てくれたのは、建設科の古積みのりさん（2005年生まれ）。彼女は、大手住宅メーカーのグループ企業に内定していました。

幼いころから折り紙やあやとりが好きな、ものづくり大好き少女でした。実験や手を使ってすることが自分に合っていると思い、実習がある学校を調べて京葉工業へ進みました。

高校に入って、家を建てる仕事にかかわりたいと思うようになりました。会社の合同説明会に行き、ていねいに会社を回って説明を聞きました。そして、求人票が来ていた会社から内定をもらったのです。

決め手は、この会社の企業理念でした。人間愛、相手の幸せを願う、その喜びを自分たちの喜びにする、とありました。

〈笑顔を大切にしたい私に、きっと合ってる〉

2024年春、家づくりの会社で働き始める古積さんは、言います。

「進学したくても就職するしかない高校生がいると思います。でも、社会人を経験しながら大学、専門学校に行く人がいます。学ぶことは後でもできます。決して、人生に遅れているわけではないと思います」

若いうちに社会人生活をスタートする。それも、人生の正解です。

生徒2人の話を聞いていた今野さんは、笑みを浮かべて言いました。

「私自身への課題が、ありすぎます。入社してもすぐやめてしまう超早期離職を食い止め、10年働き続けられる場所を見つける手助けをしたい。ここでしか働きたくないというところを探してあげたい。もちろん、生徒たちは自分でも乗り越えられるでしょう。けれど、成長が早い子もいれば、ゆっくりな子もいます。全員の背中を押してあげたい」

そして、高校を卒業して就職し、長く働く。そんなモデルケースをつくる。そのことは、先生と生徒のやる気につながると考えているのだとか。

「18歳で就職できるのはラッキーです。古積が言うように、働いて稼ぎつつ大学に行って学べばいいのですから。自分の稼ぎで学べるのですから、奨学金を借りる必要はない。返済に苦しまなくていいのです。お金の心配がないのですから、学ぶ意欲は、きっと強くなるはずです」

学校現場の熱い取り組み・その2

埼玉県の川口市にある県立川口工業高校。そこで進路指導を担当している芳田直樹さん（1964年生まれ）は、工業高校出身だそうです。筆者と同じ昭和世代。だったら聞いてみたいことがありました。

あの〜、工業高校はヤンキーの集まり、というイメージがあるのですが？

「私は、ある工業高校の電気科出身です。たしかに、私の時代は、工業高校はヤンキーの集まりでした。いまでも、中学の先生から「工業高校はヤンチャな子が多いんですよね」と聞かれます。いいえ、いまの子どもたちは、悪いことをしませんよ。7割が就職を希望しますが、多くが、みなさんが知っている有名企業に入っています。大きな会社に入りたいと思うのなら、大学生で就活するより工業高校での就活の方が圧倒的に可能性が広がります」

ここでもそうなのですか。たしかに、ここでは書きませんが、一流どころがズラリですね。

「うちの高校に来た求人は2023年、5千を超えました。3年生の就職希望は100人足らずなのに、です」

5000÷100＝50。すごい、50倍ですか！　でも、なぜなのだと考えますか？

「まず、吸収力を評価していただいているようです。ある企業さんは言っていました。「高校生の若さには代えられない」と。大卒と高卒は4年間の差がありますが、18歳の高卒が4年たてば、入ってくる同じ歳の大卒を、会社員として、社会人として逆転しています」

「大卒は企業からすれば「邪魔で余計なこと」を知っているので、教えるのが大変なのだそうです。高名な教授の話を聞いているし、いろいろと知恵をつけている。サークルなどで、みんなに好かれる方法、なんていうのも身につけている。業界のことを調べすぎていることも、教えるのが難しい理由だそうです」

それに比べて、高卒の若者はどうだと言うのでしょう?

「ぜんぜん染まっていない子たちを「会社色」に染めることができるのだとか。大きい会社には余裕があるので、研修を何度もして知識を増やします、大学で教える以上のことを私たちは教えます、って言っています。スペシャリストになってほしいんです、だから社内研修に力を入れます、と」

「高校で習う知識は、いらないと言われます。学校での実習を通して暑さに強くなる、寒さに強くなる、汚れることをイヤがらなくなる。すでに最高なことを身につけているじゃないですかって。複雑な機械を使う方法は、入社してから勉強すればいい。でも、工具は間違わないですよね。ドライバーはどれか、ペンチはどれか、などと」

「あとは、元気よく話してくれればOKなのだそうです。ものづくりや工事の現場には、危険がともなうことがあります。元気よく話してくれないと身に何か起きたかもしれない、と思ってしまうから、だそうです」

高卒と大卒の給料の差を指摘する声があります。

「スタートは低くても、頑張れば、4年後には大卒を超えられる。そういう時代が来ます。引っ張りだこの高卒の初任給は、上がっています。うちの高校に来ている求人票を見ると、初任給が30万円を超えているところが20社ほどありました。20万円を超えているところが1千社以上ありました。大学行って学費払って、奨学金に苦しむことを考えると、逆に高卒の方がいいんじゃないかと思います。世の中は年功序列ではなく、実力がものをいう時代です。「なんだ～高卒か」と言う人がいますが、高卒をバカにされたら困ります」

1人1社制について、どう思っていますか。

「私は、賛成なんです。ただ、うちの高校は7月1日の求人票公開までに生徒にしっかり情報を知らせ、考えてもらっている。だから賛成なんです。2年生にも、3年生に来た求人票を見せます。そして、3年生になる前後に、気になる10の会社、を出してもらう。そして、どうしたいのかを聞いていきます。同じ業種の会社も提示して、検討してみたら、と提案します」

「4月の段階で、希望調査をします。第1希望、第2希望、第3希望、と。その間にさまざまな企業の方々に学校に来ていただいて、生徒に話をしていただきます。第3希望まで出したけれど、それでいいねと確認します。そこまでしたうえでの、1人1社制賛成です。ただし……」

ただし、何です？

「1社に決めたけれど、気になったことがあったら、すぐ言いなさいと言っています。違う会社を探したらいい、オレも手伝うからと。私、企業の方々と年間300~400枚、名刺を交換しています。気になった点は、私が会社に確かめます。やめた方がよければ、内定を辞退させます。別の会社を、いっしょに探します」

工業高校からも大学に行けますね。

「保護者の方々や中学の先生などには、進学してほしいと考える人も多いと思います。その思いは間違いではありません。うちの高校からの推薦枠だけで、250ぐらいの大学があります。専門学校にも行けます。でも、大学に行ってほしいとお考えになるのは、進学以外の良さを知らないというのも理由だと思うのです。世間には、工業高校は社会の底辺で働くだけでしょ、というイメージをお持ちの方がいるかもしれませんが、それは間違いです」

「私の息子の話で申し訳ないのですが、彼は、工業高校に進学したいと言ってきたんです。『お父さん、大学に行こうと思ったら、工業高校でも変わらないんだね』って。そして、高校を卒業してJR東海に入りました。『同期は、東大とか大学院を出てる人ばかりだよ』って言っていました。『高卒は社長にはなれなくても、新幹線の輸送指令員のトップなどにはなれるんだって』と言っていました」

私たちの安全、暮らしを守ってくださるのですね。ありがとうございます。ところで、工業高校には、いろいろな生徒さんがいると思いますが。

「たしかに、勉強してこなかった生徒がいます。アルファベットが書けない、なんて子もいます。でも、実習を重ねれば、道が開けます。うちの先生たちは、みんな情熱家、熱心です。中小企業からの求人票もたくさん来ます。正社員になるなら工業高校です、ぜったい。あと、うちの高校は、卒業して3年以内の子なら、就職を支援します。世の中すべて、間違いなく人手不足。就職を希望すれば１００％決めて見せます。その自信があります」

生徒さんが「社長になりたい」と言ってきたらどうしますか。

「だったら、20人ぐらいの会社に入って、経営の仕方も学び、30歳とか40歳で独立したらいいよ、と話します。ただし、独立する時は社長さんに相談してねと付け加えます」

学校現場の熱い取り組み・その3

新幹線に乗って、大阪へ。

つづいては、藤井寺市にある府立藤井寺工科高校の先生、中村和寛さん(１９８４年生まれ)。工科高校に進み、初めは就職を考えたのですが、教師という仕事に興味が出て、昼は働きつつ、夜間は大学に通った人物です。
「うちは就職内定率、毎年100％です。しかも、本人が志望した進路をかなえていると自負しています」

ここも、すごいっす。1年生のころから生徒たちを会社につれて行き、いろいろな会社を見ること、それが大事だと考えているのだとか。

しかし、新型コロナウイルスの感染が大変だったころ、会社見学ができなくなりました。生徒さんに感染してしまったら申し訳ない、という理由です。あのころは、どんなに注意していても感染するかもしれない、という不安が日本を、いや世界を覆《おお》っていましたものね。

会社見学に行けないのに、生徒たちは進路を選ばなくてはならない。どうしたらいいだろう

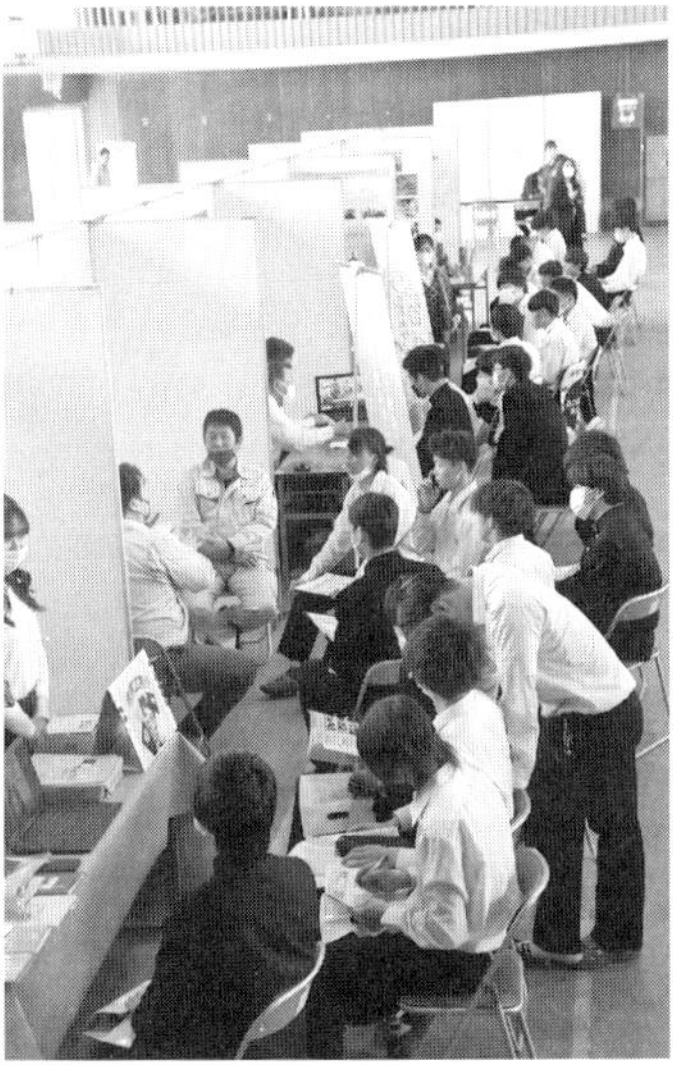

藤井寺工科高校内で開催された合同企業説明会．どのブースにも人があふれた（写真提供：朝日新聞社）

か。中村さんは考えていました。そして、巡り合ったのが、4章で紹介する会社でした。高卒生を採用したい企業を集めた合同企業説明会を、学校でしてもらうことにしたのです。

2023年5月に、この高校であった合同企業説明会には、30もの会社が参加していました。参加した会社のひとつに、金属加工の「ナカミ」がありました。高卒採用を始めたのは2022年からです。高校に来ていた人事・総務担当の村上誠さん(1969年生まれ)は、言います。

「じかに生徒さんと話をできるチャンスがあって助かります。顔つなぎができるだけで、ありがたい。高校を訪ねたくても、来ないでほしいと断られることがありますから」

ナカミは、地元大阪で、鋼板の切断、穴加工などをしている町工場です。従業員は40人ほど。多額の設備投資が必要になるので新規参入が難しい業界に、2012年、新規参入で挑んでいる会社です。会社の若さを武器に、新進気鋭のユニークな設備であらゆる金属加工をこなしています。会社のキャッチフレーズは、「あなたの想像を超える町工場」。

業界に長くいて独立した、創業社長の中三川《なかみかわ》顕洋《あきひろ》さん(1974年生まれ)にも、危機感がありました。

〈会社の継続の道筋をつくらなくては〉

フィリピンから技能実習生が来てくれています。でも、彼らは、いずれ故郷に帰ります。継続には、若い人が必要です。そこで、中三川さんは思ったのです。

〈採用するなら、ボクより年齢が若ければ若い人がいいな〉

そこで、高卒採用を始めたのです。

「でも、高校生を選んでいる、という感覚はありません。高校生に選ばれるんだ、という感覚です。だから、入社したいと思ってくれる高校生は全員採用したい。そのくらいの気持ちでいます」

さて、藤井寺工科高校の中村さん、全国的に工科高校は求人に恵まれていますね。

「いや、それが課題なのです」と中村さん。

藤井寺工科高校には、2022年、指定校としての求人だけで600件、一般の求人を含めると2千件ぐらい来ました。高校3年生は100人余りなのに、です。工科高校卒に魅力を感じてくれているのは、ありがたいかぎりなのです。生徒たちは、ITも機械も学んでいるので、ものづくりの現場で行き交う会話を、少なくとも理解できます。作業着を着るのも、油まみれになってもへっちゃらなところも魅力です。そりゃそうです、早く社会に出たいという生徒が多いので、情熱があります。

ところが、求人が多すぎるので、生徒が選べなくなるのです。そのため、どんな企業なのかではなく、給料水準や休日のことしか見えなくなってしまうのです。さらに、中村さんは正直に言ってくれました。

「うちの卒業生の中には、「こんなはずじゃなかった」と早期離職している子が、たしかにいます。何とかしたいのです」

就活高校生が多い高校の先生たちが、ここまで考えているとは驚きました。

学校現場の熱い取り組み・その4

では、通信制の高校の場合、どうでしょうか。

大阪・梅田は、大阪市の繁華街であり、オフィスビルも立ち並びます。そんなところに通信制の高校「ルネサンス大阪高等学校」があります。2014年に開校したところで、3千人を超える生徒が在籍しています。

進路指導主事の田村武士《たけし》さん(1989年生まれ)にお目にかかりました。生き様からして熱い人でした。兵庫県出身。子どものころ、阪神・淡路大震災で家が半壊し、別の場所に移り住んだ経験があります。小学6年の時にいじめにあいますが、担任の先生が加害者に「思い当たることはないか」とさとしてくれました。それまでの先生は、「いじめられる側にも責任がある」と言っていましたが、この先生は違いました。

田村さんの心に、こんな先生になりたいという思いが芽《め》生《ば》え始めました。中学3年の時に父を亡くします。安定した仕事で母を安心させたいと、高校の教師になりました。

当時、バイク通勤をしていました。朝は7時から、夜は8時ごろまで仕事です。土日もクラブ活動に時間を割《さ》かなくてはなりません。教員の上下関係が厳しく、人間関係にも疲れてしまいました。ある日、学校から帰る途中、バイクを転倒させて大けがを負います。おそらく、心にも体にも疲れがたまっていたのでしょう。

学校を退職し、1年間、無職。その間に教師って何だ、と考えました。再び教員をしたいと思って探していたら、ルネサンス大阪高校の教員募集がありました。2014年に入職しました。

通信制の高校に入った理由のひとつは、生徒ひとりひとりに寄り添えるから、でした。前職の全日制高校で、生徒ひとりひとりの相談に乗っていたら、上司に怒られたのです。

「生徒対応に、そんなに時間をかけるんじゃない！」

通信制の高校で働いて、およそ10年。不登校だった子、毎日通う自信のない子、ヤンチャな子、芸能活動をしている子。さまざまな生徒を見てきました。生徒たちひとりひとり、いろいろな事情も抱えています。

少子化で、選ばなければ誰でも大学に行ける時代になっています。田村さんは、最近、3年生の生徒さんとこんな話をしたそうです。

「先生、大学に行きたいとも思わないし、就職したいとも思わないんだ」

「じゃあ、どういう暮らしがしたいんだ？」

「ふつうに収入があって、ふつうに家族と暮らす。出世はのぞまないね」

大学に行く意味が問われている、と痛感した田村さん。そして、もうひとつ思ったことがありました。

〈親に言われたり、ネットに出ていたりしていることを、そのまま言っているな〉

生徒ひとりひとりが自分で進路決定のボタンを押す。それがいちばん大事だと、田村さんは考えています。人生は誰かに決められるものではないのです。

では、就職へのボタンをどう押させるかです。ひとつは、年に数回あるスクーリング（対面授業）の時に、進路についての授業をするのです。自己分析をさせ、目標を書いてもらいます。田村さんは、名刺交換会に行った時に企業から聞いた話を聞かせています。

こんな話もしていきます。

「将来、幸せに暮らしたいよね。食べ物がないつらい環境にいたいとは思わないよね。だったら、どうすればいいかな？」

きめ細やかに、生徒たちをフォローする。その理由を、田村さんは、次のように語ります。

「子どもたちは、働くことの意味を知らないんです。だから、ていねいに説明しています。ただ、こちらから決めてはいけません。子どもたちに、就職するぞという意志決定のボタンを押してもらわなくてはなりません」

自分自身にどんな魅力があるのだろう。どんな風に活躍できるだろう。それを生徒たちが考えるうちに、就活が始まる3年生の7月を迎えるのです。

田村さんに、就活高校生へのメッセージをお願いしました。

「きっかけは何でもいいので、まず動き出しましょう。成功している人は先を見て、行動に移しています。行動するから、気づきや学びがあります。ダメだった時に悔しくて涙するんです。先にネットで答えを見つけてしまってはいけません。面接でこんなことを聞かれるから、こう言えばいいという答えを、ネットで先に見つけてしまってはいけません」

「行動してみよう、やってみよう。やってみてダメなら多くの場合、修正できます。先人たちがよく言うのは、やっておけばよかった、です。まさに、「後悔先に立たず」です。将来、AIに仕事を奪われるかもしれない時代が来ます。だったら、AIにできないことをしよう。まずは、行動することだ。相談することも動くことです。自分から動かないと、幸せは手にできないものです」

そして、田村さんは、こんな風に強調します。

「働くことは人生の大半を占めます。あなた自身を、仕事を通じて豊かにしてください」

学校現場の熱い取り組み・その5

次は、「角川ドワンゴ学園」へ。出版社のKADOKAWAと、IT企業ドワンゴがつくったインターネットの高校で、2016年にN高等学校、2021年にS高等学校をそれぞれ開校(以下、N／S高校)、ネットとリアルな通学で授業や面談などをしています。

アーティストのGACKTさんのテレビCMで知った方がいるかもしれませんね。

N／S高校の生徒数は、3学年あわせて3万人近くいます。1学年1万人として、3年生で就職を希望する生徒は1千人前後、います。おそらく、1年間に就職を希望する生徒数では日本一です。

「ですが……」と、生徒の就職を担当してきた原口悟さん(1994年生まれ)。

「うちの高校は、企業さまにまだまだ認知されていない部分があります。職場見学をお願いするだけで、「N／S高って何?」と煙たがられることがあります。CMで知ってもらって、企業さまからの門前払いをなくしたい」

そして、話を聞いてくれた企業には、通信制の高校の悪いイメージをぬぐい、生徒たちの強みをアピールしています。

通信制の高校と聞いて、世の中が抱くのは、「全日制の学校に通えなかったんだね」というマイナスイメージが少なくありません。ですが、「自分で考えて行動できる生徒が多いんです」と原口さん。

全日制の高校だと、決められた時間割に従って授業を受けていきますね。通信制では、自分でレポートを出し、自分でスクーリングを受けるなど、自分で考えて行動しなければなりません。自発的に行動しないと、卒業できないのです。

ネットの高校ですが、7月に求人票公開、9月に内定解禁など、ルールはどの高校とも同じです。N／S高は、3年生の7月までは、生徒の興味あること、夢中になれることを見つめてもらう面談を、ネットやリアルで重ねていきます。インターンシップのサイトを学園独自に運営し、使ってねと生徒に促しています。インターン先ではIT企業を増やしています。また、2年生には、3年生向けに来た求人票を見せています。3年生の7月から考える、では遅すぎるからです。

原口さんは大学時代、教育関連のNPOなどと協力し、子どもたちに教育コンテンツを提供してきました。学校での画一的な教育には限界がある、と考えていました。そして、大学を卒業、N高に入りました。そんな原口さんだからこそ、画一的な高卒就職のルールには疑問を抱いています。

「進学する生徒が多い現状の中で、勉強を優先する傾向があります。でも、積極的に、あるいはさまざまな事情で「就職」を選択する生徒がいます。生徒たち全員に望む進路を実現させるため、大人全体の認識を、いま一度、考え直す必要があるのではないでしょうか」

引きこもりの子たち。社会に適応できずに悩んでいる生徒たちに、こんな声をかけたいと言います。

「あ〜あ、とあきらめたらいけません。大丈夫。一歩踏み出しませんか」

ご登場いただいた先生たちには、共通の思いがありました。それは、これです。
生徒諸君、行動しよう！

1人1社制と早期離職

高校生、大学生、そして留学生と幅広く進学・就職を支援している「ライセンスアカデミー」(本社・東京)は2021年、全国の高校を対象に、高卒就職についてアンケート調査を実施しました。全国5049校の進路指導部にファクスやウェブで回答依頼を出し、706校が答えてくれました。回答率は14％です。

1人1社制については、「賛成」が46・4％、「どちらかといえば賛成」が32・5％。つまりおよそ8割が賛成と答えました。「どちらかといえば反対」は5・6％、「反対」は1・6％。つまり、反対は1割にも達しませんでした。

では、なぜ早期離職というミスマッチが高卒就職者に多く起こるのでしょうか。

調査の担当者は、「生徒本人の問題であることに言及する教員が多かった」と言います。回答を大きく分けると、次の4つの傾向が見えてきたそうです。

①本人の我慢強さの問題。

②学生意識から労働者意識への切り替えができていない。
③応募および就社前の準備不足。
④いまの高校生の気質と企業の教育・育成の仕組みが合わない。

この4つを読んでいて、腹が立ってきました。なぜなら、生徒が悪いと言っているようなものですから。でも、頭を冷やして考えてみました。そして、こう解釈することにしました。先生たちは忙しすぎる。だから、自分のことを顧《かえり》みる余裕がない。組織の中で生きる先生たちは、自分のことを正当化したいという気持ちが働いてしまったのではないか。

ただ、アンケート調査では、就活の仕組みについては要望が寄せられたそうです。

「求人票を見て決める期間が短い。せめて求人票を早く見たい」

「求人票公開から内定までの期間が短い。企業のことを知る期間を長くすべき。その間に見学などを通して、いろいろ研究ができる」

この会社が自分に合っていそうだと見極める時間が長くとれれば、「こんなはずじゃなかった」と後悔しない就職に近づける。そんな先生たちの思いです。

就活のルールを守りつつ、生徒たちに幸せな就職をしてほしい。

その気持ちは、すべての先生たちに共通しています……、きっと。

コラム・進路いろいろ③ 会社員編

京都に、「バントレーディング」という会社があります。日本で不要になったオートバイや中古車を、廃棄することなくアフリカや中南米などに輸出している会社です。国連の持続可能な開発目標「SDGs」。その一翼を担っているといっても過言ではありません。ここも、高卒社員を大募集しているのですが……。

ここで語っていただいたのは、海外営業部の青山純也さん(1986年生まれ)。みんなにはたくさんの可能性がある、というお話です。

大学中退者を含む最終学歴が高卒の社員は、50人近くいます。大卒者の方が少ない。高卒がほぼ8割を占めています。

最終学歴ってそこまで重要なのでしょうか。ボクは大学に7年もいて、単位をとれずに中退しているので、最終学歴は高卒です。

さすがに当時は、ああ～ぁと思ってしまいました。最終学歴高卒かって。どうせ自分なんて、という思いがありました。どこも拾ってくれないだろうなと。でも、生きていくためだ、どんな過酷な仕事でも頑張るぞ、と思っていました。

ボクには、ひとつだけ、アピールポイントがありました。それは、少し英語が話せるということでした。就職のナビで見つけたのが、いまの会社です。

弊社は中古のバイクを入荷し、振り分け、洗車、修理をしてコンテナにつめて、港から輸出します。その作業そのものには、英語は必要ありません。ボクも初めは、コンテナにつめるバイクの車体番号のチェックなどからのスタートでした。

しかもバイクに興味など、まったくありません。普通免許はもっていましたが、ペーパードライバーでした。つまり、いちばん大事なのは、自分自身がどうやって成長できるかを考えること。そして、実行していくことだと思います。

アフリカや中南米など10カ国ぐらいに中古バイクを輸出しています。それらの国から、現地の中古車市場に詳しい業者の方々が来日するので、その迎え入れやお世話などを、ボクがしています。また、技能実習生の受け入れのためにベトナムなどで行う現地面接には、ボクが行っています。

ボクが言いたいのは、高卒で就職した人が海外で活躍するチャンスは、たくさんあるということです。高卒だから国際的な仕事は無理、というのは、ぜったいありません。カギは、たとえば現地法人を立ち上げる時に、あなたにスポットライトがあたるかどうか。こいつが適任だ、と思ってもらうことです。自分で努力してスキルを身につければ、高卒だからダメ、というのはまったくない。そう言い切ります。

ボクは、大学に7年いました。結局、卒業しませんでした。その7年間はムダではなかったと思います、とはいえ、高卒で働き始めたとしてその7年間があったら、もっとすごいスキルを身につけられただろうなあ、とは思います。だから、高校を卒業し、すぐ職場を探して社会人になるという決断は、人生にとてもプラスです。心の底からそう思います。まったく悲観することではありません。

いちばん下っ端って、やったことない仕事を振られます。でも、まず、やってみませんか。

ボクは、コンテナへの中古バイクの詰め込みを初めにしました。車体番号1台1台、間違えずに記録したリストをつくります。ミスは許されません。コンテナ1個にバイクは140台ぐらい入るのですが、コンテナ2個分のリストづくりを毎日、数年間にわたってしました。

バイクの車種にものすごく詳しくなりました。町で走っているバイクを見たら、あれはどこのメーカーで、型式はこうだ、な～んてね。社会生活には必要ない知識ですが、特技になりました。指名手配の犯人の顔をぜんぶ覚えている、そんな感じです。

割り振られた仕事をすると、いろいろ身につくんですよね。こんな仕事をするために入社したんじゃないと思うのか、やったことないけどやってみるか、覚えてみるかと思えるかですね。

会社をやめたいと思ったことですか？　何度もあります。自分は必要とされていないと勝手に思ってしまう場面って、いっぱいありますから。自分の仕事ぶりにも自分自身が納得いかず、ほかの人でもできるじゃないか、ってね。

でも、来日してきている外国人の業者さんたちは、ボクを頼りにしてくれています。もちろん、ボクがやめても、他の誰かが代わりをつとめるでしょう。でも、日本を離れる時、「ありがとう。あなたがいてくれて良かった。次もよろしくね」と言われると、やめられません。

みなさん、まずは飛び込んで、がむしゃらにでもしがみついてみませんか。その先に、見えてくること、わかってくることがあります。

4章　風穴をあける会社、始動！

「ボーッと生きてきました」

東京の新宿に本社がある「ダイブ」。2002年にできたこの会社は、観光事業や、地域を活性化させる地域創生の事業をしています。

原由利香さんはいま、この会社の広報として、充実した日々を送っています。ですが……、高校生の就職の仕組みにからめとられ、苦労した人でもあります。

乗客乗員524人を乗せた日本航空のジャンボジェット機が、墜落する。そんな世界最悪の航空機事故が起こった1985年、原さんは佐賀県に生まれました。勉強することが得意ではありませんでした。中学の担任の先生が、「高校には行っておいた方がいいよ」と言ったので、学校での生活態度をきちんとして、推薦で商業高校に進みます。「高校で何をして、どんな自分になりたいのか。私には、そんなものがありませんでした」と原さん。

仕事。それは、原さんにとって、身近で見たことがあるものだけでした。

コーヒーショップの店員。洋服を販売するアパレルショップの店員。美容師。

原さんに、大学進学の道はありませんでした。学びたいことがなかったものですから。でも、早く佐賀を出たいという思いが、ありました。

自分の進路を考えてみようという授業が、高校ではありませんでした。だから、原さんも学校の友だちたちも、自分の将来のことなど考えず、「ボーッと生きてきました」。

そして、高校3年生の7月。高校に来ていた求人票を見ることになります。

〈え？　こんなにたくさんあるのに、いきなり選べって、無理じゃないか？〉

適性検査を受けてみました。あなたは営業に向いている、と出ました。

〈営業って、どんな仕事なんだ？〉

想像がつきません。見たことがないのですから。一方で早く佐賀から出たいと思っていました。でも、お金がない。そんな原さんの思いを見透かしたかのように、先生が言います。

「原、ここは寮《りょう》があるぞ。働きながら資格が取れる、とあるぞ」

そこは、名古屋にある美容院でした。美容師の仕事は見たことがあります。都会の名古屋だし、家賃がかからない。だから、原さんはそこを選びました。就活、終了です。「まっ、いいか。そんな感じです。1人1社制などの高校生就活のルールなど、まったく知りませんでした」と原さんは、当時を振り返ります。

名古屋の美容院で3年半ぐらい働きました。夜は専門学校に行ったのですが、結局、資格は取りませんでした。美容師になりたかったわけではありません。たまたま就職しただけですから無理もありません。そして、原さんの思いは、こうなりました。

〈職種は何でもいいから、とにかく東京に出たい〉

60万円ほどの資金をためて、東京へ。アパレルショップの店員になりました。そこしかなかったし、自分に身近な仕事でしたし。でも、この仕事を一生続けることはできそうもありません。東京で働いていくならキャリアアップをしなければ、という思いが、わき上がっていきます。

会社の経営者たちと近く、いろいろ学べそうな広報なんてどうだろう。そう考えて、原さんはネットで求人を調べます。広報を募集している企業が、いくつも出てきました。よりどりみどりだ、と思った原さん。ですが……、すぐに、ショボンとなってしまいます。求人の対象が、最終学歴が大卒か、専門学校卒ばかりなのです。

原さんは思いました。

〈私たち高卒は、18歳から社会に出て、いろいろな経験を積んでいる。なのに、相手にしてくれない。そんな学歴社会の世の中、おかしくないか？〉

あきらめない原さん。探し続けて、何とかいまの会社にたどりついたのです。

「よく考えずに、1人1社制のもとで会社を選んでしまう。これで苦しんでいる高卒社会人が、かなりいると思うんです」と原さん。

求人票をいきなり見せられて、ここから決めろと言われる。建設会社、工場、スーパーなどなど、さまざまな会社からの求人が来ています。

「でも、学校で職業についての授業がなかったとしたら、どんな仕事なのかピンと来る高校生が、どれほどいるでしょうか」

求人票から選べない、いや真実は、選べるわけがない。そんな高校生は、先生のアドバイスを聞いて、会社を選びます。そして、面接などの試験を受けて内定をもらいます。はい、就活、終わり。それからは、ほかの会社を訪ねることは禁止です。

こんな仕組みでは、就職した高卒者の離職率《りしょくりつ》が高くなるのは当然です。なのに、転職しようにも、高卒で、一度、就職してやめた人を採用する会社が、どれだけあるのでしょうか。へんてこな世の中です。

高校生にとってわかりやすいのは、自分の身近にある飲食店、スーパーなどです。原さんは、身近に感じる美容院への就職を選びました。つぎにアパレルの店員。これも身近でわかりやすい仕事です。そして、キャリアアップを目指したら、就職口がなくて苦労しました。最終学歴が高卒、という理由だけで。

「私の高校時代に、「あんな会社」があってサポートしてくれたら、私の就職活動は違ったものになりました。人生が変わったかもしれませんね」

その、「あんな会社」って、何?

「おい、あんときの自分。もっと考えろや」

村山智之さん(1998年生まれ)。F1のレースが行われる鈴鹿サーキットがある三重県鈴鹿市に生まれました。サッカー少年でしたので、夢はサッカー選手。小学6年生の卒業アルバムで、自分の夢を書くことになりました。村山さんは、こんなことを書きました。

「世界平和」

地球上で戦争が絶えない時代です。この夢は大切ですね、はい。

生徒の7割が就職する、そんな普通高校に行きました。高校3年生になりました。自分も就職しようと思っていました。7月に学校に求人票が来ていたのは、知っていました。でも、見ていません。

〈興味ないね、どこでもいいや〉

そのまま何もしないでいた8月の終わり、先生に呼び出されました。

「村山、どこに就職したいか決めたのか」

「先生、オレ、やりたいことがわからないんだ」

「そうか。じゃあ、ここから選べ」

そう言って、先生は求人票を3枚ほど見せてくれました。どこが自分に合っているのか、村山さんにわかるわけがありません。いちばん大きい会社に行く、ぐらいしか思いつきません。村山さんは、資本金がいちばん大きかった、ある工場に行くことにしました。生産ラインに立って、ものづくりをします。1年が過ぎました。村山さんは自問自答を繰り返すようになりました。

〈ものをつくる。これは世の中のためになっていることはわかるんだ。でも、このままでいいのか？　いいわけない。ボクの未来の可能性は、違うところにあるんじゃないか？　そうだよ、きっとそうだよ〉

2年働いて、会社をやめました。いろいろ探して、2020年、「あんな会社」に入りました。ここなら自分の可能性を広げることができるのではないか、と思ったのです。事実、パソコンの打ち方さえわからなかった村山さんが、パソコンを縦横無尽《じゅうおうむじん》に動かし、営業に飛び回るようになっています。

村山さんは、高校生の自分に言いたいことがあるそうです。
「おい、あんときの自分。もっと考えろや」
ここにも出てきました、「あんな会社」って何？

就活高校生の味方あらわる！

もったいぶって失礼しました。「あんな会社」についてです。

規制でがんじがらめの高校生の就職活動が、ここ数年で変わってきました。

高校生向けの合同企業説明会が、各地で開かれる。インターネットで、高校生を募集している企業情報を見ることができる。そんな高校生の選択肢を増やすことに大きな役割を果たす。それらは、「あんな会社」がしてきたことです。

大学生の就職活動を支援するところは、いくつもあります。でも、高校生の就活を支援する会社は、ほとんどありませんでした。その理由は、世の中の就職の中心が大学生になったから、です。

えり好みをしなければ、誰もが大学に入学できる。そんな大学全入時代に、マイナーになってしまった高校生の就職活動を支援したところで何になるの？　もうかんないだろ？

「ジンジブ」を立ち上げた佐々木さん．ジンジブは，マンションの１室で，佐々木さんが１人で始めたが，いまでは各地に支社をもつ企業に成長(写真提供：朝日新聞社)

まっ、簡単に言えばそういうことです。

そんな産業界の見方を変えつつあるのが、「あんな会社」です。

「あんな会社」の名は、ジンジブ。

その創業者で社長は佐々木満秀さん。彼も高校を卒業して、すぐ社会人になった人です。

彼がなぜ、ジンジブをつくったのでしょうか。そして、その会社の社員たちは、どんな人たちなのでしょうか。それをひもとけば、この会社の人たちの本気度がわかります。

18歳は金の卵。夢は18歳から始まる。

そんなスローガンをかかげて、高校生を支援してきました。

高校の先生や企業と手を組んで、就職を希望する生徒たちに、さまざまな会社を見てもらうイベントを開いています。自分の目標は何だ、そのためには何が必要で、どんな進路に進めばいいんだ。そんな高校生のキャリア教育を手がけています。

1人1社制でも、その1社を選ぶ前にたくさんの会社を見ておけば、自分がやりたい仕事が見つかるかもしれません。自分のキャリアを考えるきっかけになるかもしれません。そのうえで、これだと思う1社に内定をもらう。そうなれば、入社してすぐに「この会社は私に合わない」と離職するミスマッチが減らせるのではないか、と考えているのです。

2023年、そんな事業が認められ、経済産業省から表彰されました。つまり、政府からお墨付きをもらうほどになったのです。

時代はぐぐーっと動いています。

ジンジブの人

では、佐々木さんの半生をひもといてまいりましょう。

大阪に門真《かどま》市というところがあります。みなさんご存じ「パナソニック」の本社がある場所です。佐々木さんは、その地で1968年、生まれました。

1968年は、こんな年でした。

「少年ジャンプ」創刊。川端康成がノーベル文学賞を受賞。アメリカに目を向けますと、白人の黒人差別に非暴力で対抗していたキング牧師が暗殺されました。この本のいちばんはじめに、「7月1日は何の日か、ご存じでしょうか」と問いかけました。この年の7月1日に、郵便番号制度が始まったのでした。

佐々木さんの母はトラックの運転手。父は職人肌の人で、左官業《さかんぎょう》をしていました。左官業というのは、建物の壁などをつくる仕事です。父は、稼いだカネをギャンブルに使ってしまっていました。だから、裕福ではありませんでした。

佐々木さんには、二つ上の兄がいました。兄は男前。運動神経がよく、賢い。親戚にかわいがられました。一方、佐々木さんはというと、本人によれば、容姿はふつうで、いたずら小僧。親戚から相手にされなかったそうです。さらに、着る服は、ぜ～んぶ兄からのお下がり。物心ついたころには、兄への嫉妬《しっと》心《しん》でいっぱいになってしまいました。兄の一挙手一投足が気に入らないし、悔しいのです。

そして、いつも取っ組み合いの兄弟げんかになります。少年時代の2歳差は、体格の差が決定的で、かないません。一度だけ、道具を手にして兄を傷つけてしまいました。「それ以来、兄は私を相手にしなくなりました」と佐々木さん。

職人肌の父、トラックをころがす母。そんな両親は、佐々木さんに厳命しました。

外でのケンカには、負けて帰ってくるな！

たとえば、こうです。両親ともマージャンが好きで、知人宅に行っては卓を囲んでいました。小学校の低学年だった佐々木さんはついて行きます。おこづかいとして100円もらって「遊んでおいで」と言われます。近くのゲームセンターに行きます。すると、少し年上の見知らぬ悪ガキたちが寄ってきて、「カネを出せ」と言ってきます。年下の小学生なんて、いいカモ。佐々木さんは拒否すると、こてんぱんにやられてしまいました。

カツアゲされて、親たちがマージャンをしている所に戻ってきます。けれど、中には入れてくれません。両親は言ったのです。

「やり返してこい。勝つまで帰ってくるな」

でも、向こうは年上で体はでっかいし、何人もいます。やり返しに行けません。佐々木さんは、川沿いを歩くなど、ぶらぶらして時間をつぶします。夜になり、さすがに心配した両親が探しに来てくれました。佐々木さんは自らに誓いました。

〈ボクはぜったい強くなる、負けるものか！〉

この誓いが、やがて佐々木さんの正義感になり、ジンジブという会社をつくって続けてきた原動力になります。

佐々木さんの半生に戻りましょう。

佐々木さんは負けん気を鍛えました。誰にも、ぜったい負けねえぞ。それが中学生になって、ちょっとへんな方向に向かい、グレていきました。

親族会議が開かれることになりました。会議の議題は、これです。

「満秀を高校に行かせるか、それとも働かせるか」

結論は、高校だけには行かせる、となりました。

佐々木さんは、映画「トラック野郎」シリーズが好きでした。だから、決めていました。

オレもトラック野郎になる！

ここで、高校生のみなさんはもちろん、お若いみなさんもハテナを感じたことでしょう。

「トラック野郎」シリーズって何だ？　１９７０年代に東映がつくった映画が「トラック野郎」シリーズです。主演は、２０１４年に81歳で亡くなった俳優の菅原文太さん。彼が、でっかくて派手なトラックをころがす運転手を演じた、義理と人情の物語が大人気でした。

さて、佐々木さんは、ある高校に進みました。本人の弁ですが、新設校で名前さえ書ければ合格できたのだとか。

とにかく貧乏がいやでした。ところが、父はギャンブルで借金をつくってしまいました。お金持ちの親戚に肩代わりしてもらったのですが、佐々木さんには、それがガマンできません。学校にはほとんど行かず、悪いやつらと仲良くなっていきます。髪形は、パンチパーマやアイパー。学ランには刺繍《ししゅう》、といういでたちです、そんな目立つ格好なのに、人前で堂々と、ちょっとやんちゃなことをするものだから、学校や警察に通報されます。停学を3回くらいました。

ありとあらゆるバイトをしました。魚市場、コンビニ、警備員、ゴルフ場のキャディー、飲食店の店員……。なぜ、いろいろなバイトをしたかというと、すぐケンカしてやめてしまうのです。店長とか先輩とかに偉そうにされるのがガマンできなかったのです。

負けん気ばかりが強い、ひねくれた男になった佐々木さん。高校を卒業し、もちろん、トラック野郎になりました。

佐々木さんは、トラック野郎になってからも、荒ぶる気性は変わりませんでした。生意気だと思ったヤツとは、ケンカしてしまうのです。ただ、仕事では稼ぎました。トラック野郎の世界は、完全出来高制です。だからスピードを上げますし、長距離を休まず走ります。高速道路は使いません。だって高速代がもったいない。

高速を使わないので、時間がかかります。なので、余計、ひたすら走らなくてはなりません。居眠り運転をしそうになったことは、何度もありました。佐々木さんは、無線を使ってトラック野郎同士で話をすることで眠気を吹き飛ばしました。

この仕事ぶりは、佐々木さんが特別だったわけではありません。トラックの運転手のみなさんは、多かれ少なかれ、こうして頑張ってきたのです。

政府は2024年4月、ドライバーの時間外労働の上限を年間960時間に規制します。960÷12＝80。残業は月に80時間以内、というのですが、80時間もそれなりに多いです。運送会社に属している運転手は管理しやすいでしょうが、個人営業でトラックをころがしている運転手は、どこまで守ることか。生きるための決断、それを迫られています。

さて、佐々木さんの話に戻ります。眠らないで走る生活が2年ほど続いたのですが……。

トラック仲間が死んでしまいました。正面衝突《しょうめんしょうとつ》で、運転していたトラックはぐちゃぐちゃに。原因は、居眠り運転だったようです。

佐々木さんは、葬儀に参列しました。棺《ひつぎ》の横で、死んだ仲間の妻が泣いています。幼い子どもは、よくわからないようです。佐々木さんは思いました。

〈明日は我が身かもしれない〉

その日暮らしだった佐々木さんが初めて、自分の未来を考えることになりました。

トラック運転手の仕事は、世の中の物流を支えています。すべての人が感謝しなくてはいけない仕事です。けれど、死んでしまったらおしまいです。

佐々木さんはトラックを降りました。自分に向いているのは営業やろ、と思いました。ただ、上司でも先輩でも、エラそうな風を吹かすヤツは我慢できない自分、も知っていました。

〈ふつうの会社員は、あかん。完全歩合の営業で勝負や〉

そして、学習教材の販売、布団の販売などの入社面接を受けました。落ちるわ、落ちるわ。20社ほど落っこちました。落っことされた理由について、いまの佐々木さんには思い当たります。まず、見た目を考えていないのです。トラック野郎のころと同じパンチパーマで面接にのぞんだのです。そして、面接で、思っていることをバカ正直に話してしまったのです。

とはいえ、最終的に、有名不動産会社への転職、となりました。配属は、京都市のド真ん中にある支店。入社して2カ月後には営業成績トップになりました。

店にいれば、お客は来てくれます。あとは来てくれた人を、どう逃がさないか。そこが勝負なのだとか。そして、佐々木さんは、あきらめなかったのです。たとえば、お客さんが、

「ここはイヤや」と言ったら、「あきませんか？　じゃあ、ここはどうでしょ？」と粘るのです。「成約率は98％でした」と振り返ります。

佐々木さんは、このまま営業していれば良かったのかもしれません。ところが、またまた、3カ月後にやめてしまいます。原因は、上司とのケンカでした。

勤めていた支店には、何人か同期がいました。佐々木さんの成績はナンバー1ですが、営業実績が上がらない同期がいます。すると、会社の人間たちは、差別を始めます。佐々木さんには、蝶《ちょう》よ花よのおもてなし。おいしいものをごちそうしてくれるし、べた褒《ぼ》めしてくれます。完全歩合制なので、給料もばつぐんでした。ところが、成績が悪い人は、ゴミ扱い。

「おい、ゴミ。そこのゴミ拾っとかんかい」

その当時、パワーハラスメントという言葉はありませんでした。エラそうなヤツが大嫌い、弱い者いじめは許せない。そんな佐々木さんの怒りのマグマがたまっていきます。

ドッカーン。ついに爆発してしまいます。

営業の担当者は、車で物件探しにも出ていました。店長たちは、用があったら無線で担当者たちと交信していました。そのやりとりは、全員に聞こえます。無線といえば、トラック野郎だったころの佐々木さんが居眠り運転をしないための命綱、でしたね。

ある日、店長が無線で、営業成績の悪い同期にめちゃくちゃ言っていました。それを車の中で聞いていた佐々木さんは、無線に割って入りました。

「店長、それは、無いんちゃうか？」

そのまま店に営業車を返して、言い放ちます。

「やめるわ、こんなとこ」

上の者が権力を笠に着て下の者をいじめることに、ガマンができないのです。そこには、計算づくがありません。さすが、元トラック野郎です。

知人の紹介で、佐々木さんは、大阪にあった求人広告の会社に入りました。従業員100人ほどでした。ここも実力主義、佐々木さんは入社1カ月で営業トップに。半年後には主任、2年後には営業部長、その3年後には常務になりました。

26歳の常務。会社の従業員全員が、自分より年上でした。やっかみ、嫉妬の嵐がビュービュー吹きます。それに負けないよう、仕事だけでなく、勉強に励みました。財務、マネジメント、心理学。大学の通信制でも学び、経営者の本も読みました。

とんとん拍子に常務にまでなった佐々木さんですが、それまでに4度も退職願を出していました。何らかの怒りを感じたらやめたいと思う。佐々木さんの悪い癖です。けれど、そのたびに社長に説得されました。継続は力なり、ということもありますね。会社の中枢《ちゅうすう》を任されるようにまでなったのです。

佐々木さんは勉強しました。勉強すればするほど、さらに勉強したいという気持ちがわいてきました。損益《そんえき》計算書、貸借対照表《たいしゃくたいしょうひょう》といった財務諸表を読み解く力がつきました。つまり、会社はどういう事業で稼いでいて、従業員の人件費にいくらかけていて、借入金がいくらあって、黒字か赤字か……。そんな表面上の理解はできても、どこに問題点があるのかまで読み解くには、かなりの勉強が必要です。佐々木さんは、その域に達しました。人間、いつでも勉強できるものなのです。

さて、佐々木さんは社長に、財務諸表を見せてもらいました。債務超過《さいむちょうか》でした。つまり、会社がもっているものすべてを売却してお金に換えても、借入金《かりいれきん》が多い状態になっていました。いつ倒産してもおかしくない、緊急事態でした。

佐々木さんの心に火がつきます。

〈オレが何とかしないと、従業員が路頭《ろとう》に迷う〉

会社を仕切るようになりました。社長は、「おまえに任せる」と言ってくれました。業績が上がり、累積《るいせき》損失が減っていきます。

このままだったら良かったのです。ところが……。

高校生に職業選択の自由はないのか……

1997年。山一證券などの金融機関が経営破綻《はたん》、金融危機が起こってしまいました。バブルの崩壊と、この金融危機の二つが、日本経済を長きにわたって低迷させている大きな原因です。銀行などの金融機関が、企業にお金を貸すのを渋る「貸し渋り」、貸していたお金を強引にひきはがす「貸しはがし」が行われます。派遣、契約といった非正規社員が増えていきます。日本は急速に格差社会になっていきます。

世の中の動きに翻弄《ほんろう》される、それもまた企業の悲しいところです。

佐々木さんが仕切っていた会社は、1998年8月、倒産しました。金融危機にともなう求人広告の激減は、どうしようもなかったのです。

佐々木さんは思いました。

〈もう人の下で働くのはつらい〉

翌9月、30歳で起業しました。大阪は枚方《ひらかた》市にあるマンションの一室でのスタートでした。求人広告やイベントなどを手がけます。グループ会社の中に、人材活用の会社をつくりました。その名が「ジンジブ」。会社の人事部は人間を大切にする部署であるべきだ、という思いをこめたのです。倍々ゲームで売り上げは伸びていきます。グループの年商は2015年には10億円を超えるまでになりました。

大卒を採用していたのですが、企業の間で激しい取り合いになっていました。そこで佐々木さんは、高卒を採用しようよ、と採用の担当者に言いました。すると、こう返されました。

「社長、高卒は採用できません。1人1社制ですから」

えーーー！

高校を卒業して約30年。佐々木さんは、いまも変わっていないことに驚いたのです。

「社長、高卒は学校経由でとらないといけないんです」

「大卒の就活は、いろいろサービスがある。学生たちが自由に会社訪問をしているやないか」

「学校の先生は、地元の、つながりのある会社を優先的に高校生に紹介します。うちのようなベンチャーは、なかなか紹介してもらえないんです」

佐々木さんは、思いました。

〈まるで敗戦後の集団就職やないか？〉

〈高校の先生に会社を決められて、面接行ってこいなんて、ありえない。高校生に職業選択の自由はないのか？〉

〈ルールは時代に合わせて変えないといけないんじゃないか？〉

高卒である佐々木さんの正義感のような思いが、メラメラと燃えます。高卒の就職支援をしようと考えました。社員の力を借りて、企業を１社、１社訪ねては、「採用するのは大卒ではなく、高卒ではダメですか」と聞いて回ります。いいよ、と言ってくれるところが出てきました。こうして佐々木さんたちの会社「ジンジブ」は、高校生の就職活動の支援を始めたのです。

まずは、高卒を歓迎する企業をネットで検索できる、そんな就職求人サイト「ジョブドラフトＮａｖｉ」をつくりました。若い力を採用したいという企業が、次々に入ってきました。

高校生の就職活動に自由を！

こう訴えました。ですが……、簡単にはいかなかったのです。

２０１６年。ジンジブは東京都内で、高校生向けの就活イベントを開くことにしました。会場は１００人ほどが入る場所だったのですが、来た高校生は２人でした。

佐々木さんたちの動きは、なかなか理解されませんでした。

佐々木さんは、労働についての政策をつくっている厚生労働省(以下、厚労省)に何度も通いましたが、門前払いを受けました。しかし、その後知り合った国会議員に役所とつないでもらうことができました。そして厚労省の高官と向かい合った佐々木さん。持論を展開します。

「高校生の就活ルールは、いまの時代、おかしいです。1人1社制は自由を奪うし、高校生の就職が、ほぼブルーカラーで決まってしまっています。ベンチャーだって高校生を採用したいのに回ってきません」

ブルーカラーとは、工場や建設現場などの現場で働く人たちのことを言います。大切な仕事であることは、元トラック野郎である佐々木さんはわかっています。佐々木さんが言いたかったのは、「高校生の選択の幅を広げてほしい」ということでした。

ですが……。

高官との議論は、なかなか前に進みませんでした。

佐々木さんの負けん気が、フル回転していきます。

就活高校生の支援をする事業の1年目は、がむしゃらに。2年目、赤字。3年目も苦戦。もうかっている広告などの事業でカバーしました。でも、社内で、就活支援をやめよう、という議論がなされました。

けれど、佐々木さんは、続けました。子どもたちに、やりたいことをやらせたい。自分のやりたい仕事を18歳からできたら、どんなに人生が充実するだろう。そして、稼いでいけば結婚もできる、家庭をもてる、少子化も改善できるはず。佐々木さんは、自身に誓いました。

〈命がけで、やり通す。社会貢献だ!〉

取締役の星野圭美さん(1980年生まれ)が、当時を振り返ります。

「当然、佐々木の強い思いもありました。でも、企業から「若者を採用したい」という思いも強かったんです。私たちに、続けなくてはならないという使命感が生まれていました。あとは、学校、そして高校生たちにどう浸透させていくか、でした」

星野さんは、大卒の就活支援ベンチャーを経て、ジンジブに転じた人です。

世の中が動きました。

2019年、高卒のルールを見直そうという政府の協議会ができたのです。1章でとりあげた報告書を出した「高等学校就職問題検討会議」です。経済界、学校団体が議論している場に、佐々木さんは呼ばれ、「高校生の就職活動に自由を」など持論を語りました。

２０２０年。この検討会議のワーキングチームが１人１社制の見直しに踏み込んだ報告書をまとめました。

地方自治体が動き始めました。１人１社ではない複数社応募。以前から認めていた沖縄県、秋田県だけでなく、和歌山県や大阪府が複数社応募を認めました。茨城県も２０２４年度の就活から複数社応募を始めます。

さらに、報告書は、佐々木さんの会社のような民間企業を使うことも公式に認めたのです。この機運を逃すものか。佐々木さんたちは、事業を高校生支援に絞りました。つまり、広告などの事業をやめることにしたのです。およそ１００人の従業員に、異論はありません。

こうして、ジンジブは高卒支援だけをする会社になったのです。

「ジョブドラフトＮａｖｉ」に参加する企業は2千社を超えてきました。給与などの待遇、その企業の社風、働いている社員の声なども出ています。ジンジブの社員が紹介文を執筆することもありますので、会社の一方的なＰＲにはなっていません。

さらに、ジンジブの社員が高校に出かけていって、キャリアについての授業をしています。２０２２年度は27校でしたが、翌23年度は３１３校に。ますます増えること、間違いなしです。高校生を採用したいという企業を集めたイベントも、全国各地で開いています。そのイベントを、高校で行うこともあります。

それでも、就活高校生のほとんどが1人1社制に縛られているのが現実です。1人1社制で選択できずに就職し、職場が合わずに離職し、再就職先が見つからず苦しむ高卒者たち。ルールが変わるのには時間がかかるでしょう。でも、いまそこにいる若者たちに、佐々木さんたちができること。それは応募の前に、いろいろな企業があることを知ってもらい、生徒や教師の視野を広げ、幸せになれる1社を見つけてもらうことです。

佐々木さんは力をこめます。

「将来を選択する自由は、ぜったい必要です」

高校3年生、18歳は成人です。もう子どもではありませんものね。

いろんな人がいる　ギャル↓教員↓営業

さて、ジンジブには、どんなスタッフがいるのでしょう。いやぁ海千山千《うみせんやません》、いろいろいます。ひとりひとりに来し方を語ってもらうとともに、18歳へのメッセージをお願いしました。

細野舞夏さん（1993年生まれ）。彼女は中小企業を訪ねては、社長さんたちに言っています。

「社長、高卒を採用して、あなたの右腕、つくりましょう」

そういう彼女、じつは、元教師。そして、元ギャル。そして、高校を放校された経験の持ち主です。

群馬県に生まれました。小学校の2年か、3年のころ、父親を亡くしました。母親に育てられます。中学に入って、おかしな方向にいきます。髪の毛はカラフルに、ピアスはし放題。

「いやあ、くそギャルでした」とはご本人。家にお金がないから、大学には行けません。

〈まっ、勉強したいこともないしな。最終学歴は、高卒で決まりだな〉

〈でも、だったら、それなりに頑張って、それなりの高校に行ってみっか。入ってからは勉強する気ないけど〉

中学の終わりのころは、勉強頑張りました。学習塾にも行きました。身なりも、ふつうにして面接を受け、群馬県のとある進学校に合格しました。

〈一生分の鉛筆、握ったわ〉

さて、入学式です。髪の色は黒にしていたのですが、スカートをばりばり短くしていました。どこまで短くするか、それがギャルの価値を決めるのだそうです。

新入生の1人として列に並んでいたら、先生たちにつまみだされ、体育教官室に連れていかれます。そして、先生8人ぐらいに囲まれました。校則には、スカートは膝下《ひざした》、とあったので、思いっきり校則違反です。

「入学する気があるのか？　校則を守らなければお断りだ」

めんどくせ、と思った細野さん。すると、式に来ていた母が連れてこられました。先生たちは「お嬢さんのスカート、どうにかなりませんか」と母に言いました。

母は、星野さんの生き方を否定したことがありません。短いスカートで入学式に出ることも認めてくれていました。自分のことは自分でしなさい、が母の教育方針でした。そんなこともわからない教師たちに幻滅した細野さんは、言いました。

「オッケーです、スカート直しま～す。教室行っていいっすか」

ゆうゆうと歩いて、教室に行きます。

ガラガラガラ。

扉をあけると、みんな、細野さんを見ます。すでに、これからの学校生活についての説明が始まっていたのです。入学式に出ることを拒否され、さらに高校生活のスタート時点で、クラスから浮いた存在になってしまったのです。

細野さんはギャルに戻ります。あとは、校則違反だと追いかけてくる先生たちとのいたちごっこです。

〈この時間、ムダだよね？〉

高校への決別。それを決定的にしたのは、体育教師のひと言でした。

「親の顔が見てみたい」

私のことなら、何とでも言え。でも、母のことを侮辱《ぶじょく》されて許せなくなった細野さん。東京にある私立高校への編入を決めたうえで、1年生の2学期、高校を去りました。

新天地の高校には校則がありませんでした。髪の毛の色など、自由。ヤンキー、ギャル。引きこもりがちな子……。いろいろいます。そして、先生たちは、すべて受け入れ、見捨てず、自由にさせていました。

バイトをしながら、通いました。すべてを受け入れてくれる学校は居心地がよく、勉強もしっかりしていました。3年生の時、夢が生まれました。

〈先生になりたいな〉

先生に尋ねました。

「私、先生になりたい。どうしたらいい？」

「大学に行かないと、なれないぞ」

〈やっべえ。勉強しないと〉

興味があったのは英語だったので、英語の教師になろうと思いました。カネのないヤツは、カネをかけない方法を考えるもの。動画サイトなどで英会話を見まくります。教会が無料でしていた英会話教室に通います。飲食店などで外国人に会ったら、話しかけて仲良くなり、ホームパーティーに行きまくります。

無事に、とある私立大学の外国語学部に入ります。給付型の奨学金を受けることにも成功しました。そして、教員免許をとり、大学を卒業後、静岡の私立高校の英語の教師になりました。細野さんは、生徒たちに自由に学ばせたいと思いました。だから、いろいろ提案しました。

「単語テスト、やめませんか」

単語を覚えるためのテストなんてムダだと思ったのです。却下されました。

教科書の選定にたずさわった時には、こんな提案をしました。

「教科書を使わないって、どうでしょう？」

これも、却下。却下、却下、ぜ〜んぶ却下。

でも、細野さんは生徒たちに言ったのです。

「英語はコミュニティの輪を広げるためにあるんだ。勉強しないなんてもったいないだろ？」

3年生の担任をし、就職担当もしました。生徒に聞かれます。

「先生、おれ、社長になりたいんだよね」

「だったら経済学を学ぶために大学に行っとこう」

とくに目標がない生徒には、こんな風に言いました。

「専門学校に行く手もあるよ」

でも、でも、でも。本音は違いました。

みんな、どんどん社会に出よう。行きたいところに行こう。そして、夢に向かおう。

〈まずいな。私、限界だ〉

6年勤め、2021年12月28日、学校を退職しました。年があけて、とある会社の面接を受けたものの、落っこちます。社会人経験がないというのが理由でした。

〈教師って社会人じゃないのか？　やばい、路頭に迷うぞ〉

2社目に受けたのが、ジンジブでした。教員歴があることが評価されたのです。

2022年4月、ジンジブに入社。担当は、企業回りです。

「社長、高校生って、めっちゃおもしろいんです」

「社長の熱意で動いてくれるのは、高校生です。大学生になると、いろいろ知恵がついてしまうので動きませんよ」

こう言えるのは、元大学生であり、元高校教師であるからです。

では、18歳へのメッセージをお願いします。

「自分にしかできないことを求めるのなら、自分で考えて進路の答えを出してください。そのうえで出した選択なら、進学する、浪人する、自分探しの旅に出る、そして就職する、すべてが正解です」

最初に入学した高校をやめる時、細野さんは、まわりから「学歴に傷がついたね」と言われました。

「恥ずかしいと思ったことは一度もありません。あの時の決断があって、いまの自分がある。私にとって、傷ではありません」

では、何なのですか？

「勲章《くんしょう》です！」

ステキです。そして、学歴で評価されるとしても、そんな時間はほんの一瞬です。

いろんな人がいる　大学生↓旅↓なぜ？

キャリア教育開発部の梅原卓也さん(1995年生まれ)。ニックネームは、梅ちゃん。梅ちゃんは、高校にキャリアの授業に行き、年間300人の高校生の相談に乗っています。自分探しをしてきた元大学生です。沖縄の糸満市に生まれました。糸満市は沖縄本島の南端にあり、アメリカとの戦争で多くの犠牲者を出した場所です。なので、学校での平和教育が盛んです。

梅ちゃんは、高校教師になりたくて、その思いを親に告げてOKしてもらいました。東京の教育大学を受験するも失敗。一浪《いちろう》で埼玉の大学に進みました。英語の教員免許をもっています。ですが、高校でしたかったことは、キャリア教育でした。それは、高校の日々で感じていた違和感からきています。

進学校に通っていました。何のために大学に行くのか。その答えがないまま、級友たち、そして梅ちゃんも受験勉強をしていました。

〈高い学費を払うかわりに、自分が学びたいことを学べるし、やりたいことができる。それが大学なのに、大学生活がつまらない、という人が多いと聞く。もったいない。なんでそ

んなことが起こってるんだ？〉

〈どういう自分になりたいのかを高校生と話すことが大事なんじゃないか。子どもたちに納得して自分の未来を切り開いてもらえたら、うれしいなぁ〉

受験勉強への違和感と、なりたい自分を考えてしまったのが、一浪の原因。ということにしておきましょう。

大学4年生の時。梅ちゃんは教育実習を受けたのち、ドイツに留学しました。沖縄本島から埼玉に出て、次は日本を出て、もっともっと刺激を受けたいと思ったのです。

首都のベルリンから電車で南へ1時間半。コトブスという都市の大学院で、世界遺産を学ぶことにしました。各地の遺産を見ようと、世界中から観光客が来ます。地域におカネを落としてくれるのはいいのですが……。観光客が多すぎると、交通渋滞、ホテル不足などさまざまな問題が起こります。そんな「オーバーツーリズム」を勉強したいと考えたのです。

実際に行ってみなきゃ〜、わからない。

梅ちゃんはリュックひとつで、遺産巡りをします。フランス、イタリア、スペイン、ノルウェーなど欧州を巡ります。ポーランドのアウシュビッツ強制収容所に行った時の衝撃を、梅ちゃんは忘れられないと言います。沖縄で平和教育を受けてきた梅ちゃん。ガス室だった建物を見て、殺されていったユダヤ人のみなさんを想像します。ユダヤ人のみなさんが着ていた衣服が積まれていました。

〈これからの未来を担う私たちは、この重さを忘れてはいけない〉

大学の5年目に帰国しました。ですが、梅ちゃんは進路を決められませんでした。

「社会理解と自己理解を深められなかったのが原因です」

これを聞いたみなさんは、思ったことでしょう。何を言ってるかわからないと。

日本に存在している会社が、それぞれどんな仕事をしているかがわからなかった。それが、社会理解の不足なのだそうです。

「私が知っている職業は、親、親戚などがしている仕事しかありません。その中に自分に合う仕事があるかと思って探しました。けれど、見つからなかったんです」

そして、自己理解。大学生活で得た体験からどんな人生を歩んでいきたいのか、その答えも見つからなかったのだそうです。大学院への進学、先生になるか、民間企業に勤めるか。選べなかったのです。

「経済的に余裕のある家庭に育ってこなかったので、何のために大学に行くのかまわりの人に説明できないと行かせてもらえなかった。だから、進路選択のタイミングでも、何のために働くのかとか説明できなくてはダメだ、と考えたのです」

梅ちゃんは、もがきました。大学5年目の4月から10月の半年間で、400人の社会人と会いました。大企業の社長も、中小企業の社長も、フリーターも、多い時は1日6人の社会人と。質問したのは、これです。

「なぜその会社に入ったんですか」

「なぜフリーターでいるのですか」

なぜ、なぜを繰り返していく中で、高校生にキャリア教育をしたいという思いが強まってきます。結局、戻ってきたのです。自分が高校教師になろうと大学受験をしたころの思いに。キャリア教育をしている会社で1年間、インターンをして、これだと確信します。高校生にキャリア教育をしている会社を探しました。ジンジブしかありませんでした。

2020年の5月、25歳で入社しました。

高校生向けに仕事体験ができるイベントを企画、運営しています。そして、高校を回って授業をしたり、将来の仕事についてのカウンセリングを高校生にしたり。

「私は、世界でいちばん自分の仕事に誇りをもっています」

大学進学となるとおカネがいります。奨学金《しょうがくきん》を借りる人も少なくありません。進学の目的が見つかって大学に行くのなら、その奨学金も悪くはないでしょう。奨学金を借りて進学し、大学生活で何かを見つけられるのなら、おカネを借りることもムダではありません。「私自身、奨学金や学資ローンをいまでも返しています。でも、ムダではありません」と梅ちゃん。でも、行かないこともまた、正解です。そんな、どれもが正解の選択を子どもたちがするためにも、キャリア教育が必要なのでしょう。

梅ちゃんは、高校生のみなさんに伝えたいことがあるといいます。

「自分の好きなこととか、こんな仕事をしたいとかがわからなくても、不安に思わなくていいんだ。それは当たり前だよ。だって、ボクも高校生の時、わからなかった」

「でも、日本だけで370万もの会社が存在している。370万とおりの方法で、誰かのために価値を提供しているんだ。きっと、自分のやりたいこと、興味があることを気づけるタイミングがくる」

「いまの、やりたいことがない状況について、何も不安に思うことはない。それよりも、見つけるために視野を広げてね」

いろんな人がいる　大卒→本当にやりたいことへ

ジンジブに、大卒はたくさんいます。みんな、人生の後輩である高校生のみなさんの幸せのために力を尽くそうとしています。

石澤優紀さん（2000年生まれ）。自分が大学生の時、就職活動で何をしたらいいかわからず迷走していました。お菓子メーカーを受けた時、「私、本当にお菓子をつくりたいの？違うよね」と自問自答しました。「就活をする中で、私が本当にしたいことは、若者支援だと気づいたんです」

山本龍玖さん（2000年生まれ）。妹さんが中学の時不登校になり、高校に行けなくて、苦しんでいました。やっと外に出ることができても、正社員の道は閉ざされていて、非正規雇用しかありませんでした。大学生になって就職活動をしていて、苦しむ若者の支援をしたいと思っていたら、「ジンジブがあったんです」。

いろんな人がいる　高卒→「先生、選べません」

もちろん、高卒もたくさんいます。

山口玲那さん（2003年生まれ）。小学5年の時に剣道を始め、小学生の部で千葉県2位。

スポーツ推薦で東京の中高一貫の私立学校に入ります。中学の時は東京都2位にまでなりました。高校でも、当然のように剣道をしていましたが、1年生の夏に、思ったのです。

〈大学はお金がかかるから行けない。高校を卒業したら就職しよう。でも、剣道で就職できるとは思えないな〜〉

千葉の高校に転校しました。そして高校3年の夏、求人票が公開されました。学校から、呼び出されます。

「さあ、ここにある求人票を見て、選びなさい」

「先生、選べません」

ものすご〜く大量の求人票なので、選べるわけがありません。

先生は、「ではこれで見て選びなさい」と言います。指示された通り、山口さんはパソコンで検索していきます。高校生を求めている会社の情報がたくさん出てきます。見ていくのですが……、選べません。

あれ？

山口さんは、気づきました。どのページを見ても、必ず「ジョブドラフト」という言葉が出てくるのです。これは何だろうと調べると、ジンジブという会社が出てきました。山口さんがパソコンで見ていたのは「ジョブドラフトNavi」だったのです。

ジンジブが開く合同企業説明会に行きました。お目当ては、参加している企業ではなく、会場で青いシャツを着ているジンジブのスタッフの人たちです。高校生や先生たちを企業のブースに案内している姿を見て、山口さんは決意しました。

〈私は、青いシャツを着る側に立ちたい〉

学校にはジンジブからの求人票が来ていました。説明会の翌日、ジンジブを訪ね、内定をゲットしました。それを先生に報告すると、「もう企業を受けられないからね」とのことでした。1人1社制のことを、その時初めて知りました。でも、行きたいところに行ける自分に大満足。

〈就活、終わったぞ〜!〉

2022年春、入社しました。企業を回って営業、そして、高校を回ってジンジブへの理解を広げる仕事をしています。

「正直、やめたいと思った時もあります。でも、みなさん明るくて、やさしくて。いまは、やめるのがもったいないと思っています」

山口さんは、後輩にあたるすべての就活高校生にエールを送ります。

不安がらなくていいんです。正面から思いっきり、「めーん」で行きましょ。

いろんな人がいる　高卒→「どうせ自分なんて」と思わない

日高妃奈さん（2003年生まれ）。大阪の本社を拠点に、高校を回ってキャリアについて高校生と語りあったり、助言をしたりの日々を送っています。

母子家庭で育ちました。働く母の大変さが身にしみていました。でも、何不自由なく育ててくれました。日高さんはワクワクしていました。

高校を卒業したら働くぞ、楽しみだな。

資格が取れると聞いて、商業高校に進みました。でも、卒業したら働くのだから、いまのうちに働きながら学ぼうと考え、2年生の4月、通信制の「ルネサンス大阪高等学校」に転校しました。この高校については、3章で紹介させていただいています。

スーパー、コンビニ、飲食店。詰め込めるだけバイトを詰め込み、勉強して期日までにレポートを提出し、試験も受けます。学校に行って体育の授業も受けました。

高校3年の時、高校が開いてくれた就職ガイダンスに、ジンジブの人が来ていました。また、ジンジブが開催する高校生向けイベントに参加しました。

〈私にできることは、働くぞと思っている昔の私みたいな子をサポートすることだ〉

いまの高校生には、自分にあった職場を見つけてほしい、早期離職はしてほしくない。日高さんは、すべての就活高校生にエールを送ります。

「社会に出ることに少なからずマイナスな気持ちを抱いている生徒のみなさん。心配しなくて大丈夫です。あなたを温かく受け入れてくれる企業が、いくつもありますから。ただ、求人票はたくさん来ます。自分に合う職種を見つけるのは大変ですから、自分で考えて、行動しましょう」

いろんな人がいる　高卒↓自分をあきらめたくない

高橋静奈さん（2003年生まれ）。ふつうに高校に通っていたのですが、1年生の終わりごろからぜんそくが出るようになりました。さらに、新型コロナウイルスで学校そのものが休校にもなりました。高校に行く目的を失って不登校になります。高校2年生を2回して、通信制の「N高校」へ移りました。この高校も、3章に登場していただいています。

高校3年で就職活動が始まり、先生が求人票をたくさんネット上で共有してくれました。その中から3社にしぼって職場見学に行ったものの、ここで働きたいという会社がありません。妥協しようかと悩んだのですが、もう自分をあきらめたくありません。

「高卒求人」というキーワードでネット検索したら、ジンジブの「ジョブドラフトNavi」が出てきました。「夢は18歳から」という言葉が、高橋さんの心に響き、ジンジブへ。

高橋さんは、まわりの大人から、「大学は行った方がいいよ」とさんざん言われてきました。高橋さん自身、高卒での就職にネガティブなイメージをもっていたことは否定できません。だからこそ、「夢は18歳から」が背中を押してくれたのでしょう。

2023年4月の入社です。東京や千葉の高校を回って、ジンジブのことを紹介し、進路の授業もします。なぜ自分が就職の道を選んだのか、どうやったのかといった話をしています。不登校だった話もしています。正直に話すことが、人生の後輩たちの役に立ったら、と思うからです。「自分の将来に不安がある。自分の将来を期待していない。そんな高校生たちがワクワクするきっかけを、私はつくりたい」

いろんな人がいる　高卒↓縁の下の力持ちも大物

ジンジブの名古屋支店には、10人余りのスタッフがいます。愛知を中心に、岐阜や三重、静岡などでも企業開拓、高校回りをしています。

支店長の佐々木仁義さん（1998年生まれ）。子どものころの夢は、お金持ちになること。高校の友だちは、み〜んなヤンキー。大学進学しようなどと、これっぽっちも思いませんでした。

高校での就職先探し。成績がいい生徒から、行きたい企業の求人票を割り当てられます。佐々木さんの成績は、サイテー。先生から紹介されたのは、町工場でした。ものづくりをコツコツしている自分の姿が、想像できません。紆余曲折《うよきょくせつ》あって見つけた就職先が、ジンジブでした。

入社するも、成績はズタボロ。「簡単やろ、となめてたんですね」と本人。企業の人や高校の先生と話をする、その練習をしました。半年後、芽が出てきました。そして2020年、名古屋支店を立ち上げることになり、支店長になったのです。

支店ができて初の新卒採用は、米本晴哉さん（2001年生まれ）。本人が言うには、自分は、これとは違う大物《おおもの》になれる、と思っていたそうです。漠然とした自信があったのですが、これといった理由もなく、中学1年の夏に不登校となりました。中学を4年かけて卒業し、通信制の高校へ。高校のイベントでは、裏方を経験します。

〈縁の下の力持ちも、ある意味、大物じゃね？〉

求人票が公開され、ジンジブがあったのです。2023年4月に働き始めました。「働くことって、思っていた以上に難しいです。だからこそ、いろいろ経験してきた自分のことすべてを、人生に苦戦している高校生たちに伝えたいです」

名古屋は、トヨタ自動車の本拠地です。親も先生も、生徒も、トヨタに入社できたら、という思いが強い土地柄です。佐々木さんたち名古屋支店のスタッフは思うのです。頑張っている企業は、たくさんある。ぜひ、そこにも目を向けて、就職を考えて。高校生のみなさんを、大切に育ててくれますよ。

あらためて、ジンジブがしている高校生のための就職求人サイト「ジョブドラフトNavi」について。動画や写真で、求人条件以外の情報を見ることができます。あなたの高校に求人を出していない会社のことも知ることができます。

この会社だと思ったら、自分の高校に来ている求人票を確認しましょう。来ていなかったら、先生に、「求人票を出してもらうよう頼んでください」とお願いしましょう。もし、先生が動いてくれなかったら、Navi経由で、専門家に相談して解決策を見つけましょう。

高校生支援が企業を、そして社会を変えていく

沖縄本島でスーパーを展開する「フレッシュプラザユニオン」。ここは、もとから高卒の採用をしていました。ですが、採用を担当する照屋孝さん(1975年生まれ)は、物足りなさを感じていました。

2020年、ジンジブから、「ジョブドラフトNavi」を使って、広く高校生にアピールしてみたらいかがでしょう、という提案が来ました。せっかくだから、一度やってみました。求人票の高校への送付も、代わりにしてくれるといいます。

すると……。

沖縄本島から西に100㎞離れた久米島《くめじま》の、安里勇樹さん(2002年生まれ)から、問い合わせがありました。照屋さんたちは驚きました。

〈そうか、私たちは離島のことを忘れていたんだ〉

島でただひとつの高校、久米島高校に通っていた安里さん。テレビでユニオンのCMを見ていて、興味をもっていました。そして、高校に求人票が来ていました。ジンジブが出していたのです。そして、Naviで確認。応募したのでした。

2021年春に入社した安里さん。レジ打ちなど仕事をひととおりこなせるようになり、

希望の鮮魚《せんぎょ》担当として魚をさばいています。

照屋さんは、振り返ります。

「本島以外からは来ないという先入観が、ひっくり返りました。離島も人材の宝庫なのだと気づかされたのです。石垣島や宮古島などである高校生向けイベントに顔を出しています。アクションを起こすことが大切なのだと思えるようになりました」

ジンジブの社長、佐々木さんが、極論を言いますという前提で、語ります。

「人口減を少しでも止めるために、労働人口を増やすために、大学に行く前提の社会をひっくり返したい。18歳で働き始めると25歳でそれなりになる。経済的には不安がなくなる。結婚するもしないも自由だけれど、結婚して家庭がもてるかもしれません。ほんまに勉強したい人は大学に行けばいい。でも、なんとなく進学、というのは変えていかないと日本という国がもたないんです。企業は変わってきています。社会は相変わらず、学歴重視ですか？」

ジンジブは、各地に支店があります。社員１６０人が、明るく、前向きに、でも悩みながら、頑張っています。

そして、２０２４年3月、ジンジブは東証グロース市場に上場しました。企業としての財務基盤を整え、さらに就活高校生に寄り添っていくとのことです。

夢は、18歳から始まる

ジンジブのスローガンを通して、あなたにエールを送ります。

夢は、18才から始まる。
夢なんか見ないで、現実を見なさい。
大人は若者にそう言います。それって、本当でしょうか？
18才は、社会に出て夢をかなえる、始まりの時。
進みながら新たな夢が生まれることだってあると思うのです。
それは、仕事の夢だけじゃない。
将来好きな人と家族になることも、家を持つことも、
世界を旅したり、趣味に没頭することだってなんでもいい。
どうか、あなたの夢を大切にしてください。

そして、あなたの夢や人としての成長を応援させてください。
夢見る若者が増えることは、企業や社会、日本の希望になっていく。
そう信じ、人生のあらゆるシーンであなたに寄り添いたい、
ジンジブです。

（https://jinjib.co.jp/archives/8538 より）


ジンジブだけが就活高校生を支援しているわけではありません。

大阪市にある「アッテミー」。2019年に設立された会社で、高校生にインターンシップができる会社を紹介したり、高校生からの進路相談を受けたりしています。高校生のキャリアアップに寄り添っています。

高校生のみんな、人に会ってみよう！　社名には、そんな思いがこもっています。

この会社をつくった代表の吉田優子さん（1985年生まれ）。彼女の原動力もまた、自身が経験したことで感じた驚きと怒りにあります。

吉田さんは、名古屋市の公立進学校に進みました。たとえば英語の授業は、分厚い問題集の答え合わせでした。大学受験のためだけの授業です。学校には、大学の偏差値が書かれた

ポスターが張ってありました。吉田さんが受けた進路指導は、こういうことです。

偏差値の高い大学へ行って、就活を有利に進める権利を勝ち取れ。そのために、高校の3年間を費やせ。

吉田さんには、疑問しかありませんでした。毎晩、寝る時に天井を見て考えていました。

〈世界では、高校生で働いている人がいるはずだ。ボランティアをしている人がいるはずだ。社会とかかわりをもっている人がいるはずだ〉

〈それに比べて、この日本では、大学に行け行けという。高校の3年間、大学の4年間、あわせて7年間も、学校という空間に閉じ込めるつもりなのか?〉

この窮屈《きゅうくつ》さから脱出したくて、吉田さんは、いらだちました。無力な自分にできるせめてもの抵抗を考え、ある行動に移します。それは――、
勉強の放棄!

成績が、ぐんぐん下がり、下から数えて5本の指へ。進学校には就職という選択肢は、事実上ありません。教師になって教育を変えたい、という思いが心の中に芽生え、育っていきます。教員免許をとるには、大学に行かなくてはなりません。高校を卒業し、浪人生活に入ります。教員になりたい人が集まる教育大学に行くつもりはありませんでした。吉田さんが

疑問に思ってきた「大学に行け行け教育」に自分も絡《から》め取られてしまう、と心配したのです。

吉田さんが目指す教師像は、子どもたちの生き方を探しあてる手伝いをしたり、幸せなキャリアを積む手伝いをしたりする熱血教師でした。東京の私立大学に進み、中学高校の社会科の免許をとりました。

ただ、吉田さんは友人たちと同じように就活をします。何社かに内定をもらい、有名IT会社に入社しました。高校生と違い、大学の就活では、いくつも内定をゲットできるのです。

入社したIT会社は、ネット上にできた市場に並ぶ店から、欲しい商品を買ってもらうビジネスをしています。吉田さんの仕事は、店を出店している事業者のお手伝いでした。事業者の人たちと話をしていて、吉田さんは思いました。

〈中卒、高卒の人たちも、売り上げを伸ばしている。ビジネスは学歴じゃないぞ。やっぱりね〉

一方、会社の同僚たちを見渡します。みんな大学を卒業して、入社してきています。イキイキと働く人もいれば、見るからに疲れている人もいました。心をやられている人がいました。早期離職していった人もいました。

吉田さんは確信しました。

〈高校生たちに、大学進学がすべてではないことを知ってもらいたい。進学するのも正解だけれど、就職するのも正解だと教えたい〉

私は、高校生の進路選択の在り方を変えるぞ！

そう決意した吉田さん。入社して３年余りたったころ、勢いよく会社をやめました。

現場を知らなければ、何もできない。そう考えて仕事を探していると、大阪府の高校で進路指導をする仕事に巡り合いました。働きながらキャリアコンサルタントの資格もとれる、とありました。

赴任したのは農業や園芸を学ぶ高校でした。大学行け行け高校を卒業している吉田さんにとって驚きだったのは、半数を超える生徒たちが就職する高校があることでした。さらに驚いたことは、１人１社制という決まりがあることでした。大阪府では２０２２年度から１人２社制になりましたが、当時は１人１社制です。

吉田さんは、驚きを通り越し、怒りで手が震えました。

〈高校生の選択の権利を奪っているじゃないか〉

でも、１人１社制より問題だ、と思ったことがありました。それは学校が、３年生になるまで生徒に就職活動のことをじゅうぶんに考えさせられていないことでした。高３の７月に、いきなり大量の求人票を見せて、「ここから選びなさい」だけの指導なんて、ありえない。困った生徒は、わらにもすがるように先生を頼る。先生は、生徒によかれと思って、卒業生が就職している会社や、知名度のある会社を紹介する。その会社がその生徒に合っているかどうかをじっくり考えさせられていないなんて、ありえない。

ただ、現実を知るため、吉田さんは疑問を心にしまいこみました。先生たちの指示のもと、就職を希望する生徒たちの相談に乗ります。生徒たちは就職を決めていきました。

3月、高校3年生の卒業式です。吉田さんにとって、初めての卒業生たちです。心の中で、激励していました。

〈みんな、就職先で頑張れよ〜〉

4月、吉田さんは別の高校に移りました。仕事は、引き続き進路指導です。

5月のある日、通勤途中、駅前でティッシュ配りをしている若者がいました。吉田さんが伴走して就職を決め、4月に社会人になった若者です。

「あれ、何してんの？　会社に就職したよね」

「あっ、先生。会社、やめました。思ってたのと違ったんだ」

また、高校に遊びに来てくれた卒業生から、こんな話を聞きました。

「有名会社に入った子がいたよね。でも、会社が合わなくて、すぐやめたんだって。親には言えないでしょ。だから、夜勤だからと言って、いま水商売してるよ」

もちろん、バイトも水商売も、それぞれの生き方です。でも、せっかく就職先を決めたのに……。吉田さんは、落ち込みました。

〈早期離職が起こらないために、私にできることはなかったのか？〉

7月が来ました。求人票の公開です。

8月。ある運動部で活躍している生徒が相談に来ました。

「先生、ボクには行きたい会社がある。でも、面接に行けないんだ」

彼が行きたい会社を、同じ運動部のキャプテンも志望していました。1人1社制のもとでは、学校に来た1枚の求人票には、原則として1人しか応募できません。

2人の成績や出席日数は、互角でした。ただ、早退の数が、キャプテンの方が少なかった。だから、キャプテンが優先順位1位。相談に来た彼は優先順位2位なので、応募書類を会社に送ることさえできなかったのです。

彼が行きたかった会社は、多くの人たちの暮らしを支える業界の中にありました。彼は、その業界に入ることを熱望していました。でも、同じ業界からの求人は、その1社のほかにありませんでした。彼は、まったく希望していなかった業界に進み、卒業していきました。

時計の針は回り、回り。そして、再び7月が来ました。彼が学校に顔を出してくれました。元気で頑張っていると聞き、吉田さんはホッとしました。すると、彼が言ったのです。

「先生、ボクが行きたかった業界からの求人、ことしは何社来てる？」

未練があるのです。もし1年前、彼が行きたかった業界から求人票が2社来ていたら……。大学生の就活も、限られたイスをめぐっての争いです。それでも応募はできます。でも、高校生は、それさえできず、納得いかないままあきらめなくてはいけないケースがあるのです。

この理不尽さを何とかしたい。もう黙ってはいられない。

吉田さんは、就活高校生の支援を始め、２０１９年に会社をつくりました。

求人票の公開は7月1日。面接と内定は9月16日から。そういった高校生の就活の大まかなルールは、厚労省や経団連などで申し合わせます。

都道府県レベルでは、運用の細かいところを申し合わせます。１人１社制を続けるのかなどは、都道府県レベルの話になります。

大阪府は２０２２年度、１人２社制に移行しました。

それを決める会議に、吉田さんは呼ばれました。意見を言ってほしいということなので、吉田さんは熱弁しました。

「そもそも高校生の就職方法は、学校の斡旋《あっせん》だけではないはずです。縁故による就職、自分で就職先を探す自己開拓もあります。でも、自己開拓は生徒に知らされていません。1人1社は、生徒さんたちの進路を保証するという意味で、機能しています。なので、学校斡旋は1人1社でいいかもしれません」

「ですが、生徒にも企業にも、不都合を感じている人がいます。そこで、就職試験の解禁を8月1日にして、8月中は自己開拓で就活して、うまくいかなかった生徒さんは9月から1人1社で確実な生徒指導をするというのがいちばんいいと思います」

結局、吉田さんの意見は通らず、1人2社制となったのです。

吉田さんが経営する会社「アッテミー」は、10人ほどのスタッフで、これまでに600人を超える高校生に寄り添ってきました。

吉田さんの就活高校生へのメッセージです。

「何も考えずにとりあえず進学をしている人よりも、まずは働いてみようというあなたは、ステキだと思います。ビジネスの世界に出て、本当に学びたいことは何なのかを見つけて勉強する。そんなあなたは、優れています。みなさんを評価する会社が、すごく増えています。

あなたの選択は、最高です！」


気になっていたことがありました。

役所は、就活高校生のみなさんのことをどう考えているのだろう？

皇居のお濠《ほり》が見渡せる場所にある東京労働局を訪ねました。ここは、東京都内各地にあるハローワークをたばねる組織です。この局の職業安定課の担当者に聞きました。

――高卒の早期離職者が多い。このことについて、どう考えていますか。

「入社してから、こんなはずじゃなかった、という離職は、高校生にとっても会社にとっても不幸なことです。私たちも防ぎたいと切に思っています」

「文字で書かれた求人票だけではわかりにくいので、会社説明会や、労働局で特設サイトをつくって動画をアップするなどしています。また、ハローワークには学生支援を専門にする担当者がいて、学校の先生と連携しています。高校1年のころから、ご自身のキャリアについて考えてもらうガイダンスなどをしています。3年になってからは、生徒の個々の状況に応じた個別の職業相談を実施しています。また、応募先の企業などを想定した模擬面接など、実践的な支援をしています」

――ハローワークは失業した人が行くもの、というイメージしかありませんでした。

「高校生が自分の能力を発揮できる会社に行っていただく。それは、私たちの願いでもあります。そのために行政として、環境づくりをしています」

――環境づくりとは？

「会社に公正な採用選考をしていただくための啓発指導をしています。たとえば、選考開始日を厳守することや、選考面接などで本人の適性や能力に関係のないことについて質問、記述を求めないことです。家族の職業や家庭環境などを聞くことについて、企業の面接担当者からは「面接の場をなごませるため」といった弁明があるかもしれません。でも、答えにくい思いを抱えている生徒にとっては、萎縮《いしゅく》につながってしまいます。不適切な質問などがあった場合、学校の先生を通して労働局に連絡が入り、ハローワークから企業に指導をすることになります」

――高校生の就活ルールが厳しすぎる、という声をどう思いますか。

「高校生の就職活動ルールは、公平かつ公正な採用選考とともに、適切な推薦・応募が行われるために設定されています。現在、会社は人手不足に直面し、生徒のみなさんも情報過多になっていて、自分に合っているお仕事探しが難しくなっているかもしれません」

「会社と高校生をうまく結びつけるために、各地の教育行政、経済団体、労働者団体などで協議し、申し合わせをしています。時代の変化に合わせて、ルールの見直し等が検討され、おのずと変わっていくと思っています」

――ハローワークを信じていいのですね。

「就職を希望する高校生のみなさん全員を最後まで支援する、それが労働局の使命です。さまざまな事情を抱えている生徒さんたちに、最後まで伴走します。就職で何かお困りの生徒さん、学校の先生やハローワークの担当に相談してください。先生にハローワークの担当につなげてもらいましょう」

「これらの対応は、東京だけではありません、全国各地の労働局も同じです。就活高校生のみなさん、ハローワークはみなさんの味方です。忘れないでください」

各地の学校をまとめる教育委員会も、考えています。

東京都教育委員会は2023年度、進学や就職など生徒の進路がバラエティーに富んでいる都立普通科高校15校を「スキルアップ推進校」に、都立商業高校10校を「ビジネス人材育成推進校」に、それぞれ指定しました。

そして2023年の夏休み期間を使い、それらの高校に通う生徒のみなさんを対象にした職場体験「ジョブキャンプ」をしました。就職したい会社や業界を検討するきっかけになれば、との狙いです。

テーマを6つに分けました。

①食べる(食品・外食・農業)、②もてなす(観光・ホテル・小売り)、③創る(IT・メーカー・ソフトウェア)、④支える(医療福祉・教育・サービス)、⑤楽しむ(ゲーム・アミューズメント)、⑥届ける(物流・運輸・倉庫)。

そして、企業がある場所によって7つの地域に分け、生徒たちに4日間の職場体験をしてもらったのです。1日目はビジネスマナーなど、2・3日目は職場体験、4日目に振り返り。そんなプログラムで実施しました。参加企業数は237社、参加生徒はおよそ450人でした。

生徒のみなさんからは、こんな感想が寄せられました。

- 大事なことを細かく教えていただいたので、企業に行く際の不安が少し減りました。
- 獣医師になりたいと思っていたけど、不動産とか自分が好きなビジネスアイデアを生かせる仕事に就きたいなと思いました。

都教委の担当者は「参加した生徒にとって、自身の進路について考える良い機会になったとわかりました」と振り返ります。

2024年度も行うとのことです。

コラム・進路いろいろ④ アナウンサー編

アナウンサーは、どんな仕事をしているかご存じでしょうか？なじみが深いのは、テレビやラジオの番組に出たり、現場でリポートしたり。ニュースを読むというのもありますね。

でも、アナウンサーが活躍する場面は、ほかにもたくさんあります。イベントの司会。その時々の注目の人へのインタビュー。企業の人たちの代役としてのＰＲ活動……。

ほとんどの人は大学を卒業し、テレビ局などが行うアナウンサーの採用試験を受けて合格した人です。局アナと呼ばれますね。または、フリーのアナウンサーもいますが、たいてい、どこかの大学を卒業しています。

でも、じつは、高卒で活躍している人もいます。

田中晴子さん。１９９５年に生まれました。

イベント司会、ＰＲ活動、話し方教室など、さまざまな事業をするアナウンサー集団の会社「トークナビ」（本社・東京）に所属するアナウンサーです。この会社の社長は、日本テレビ系を中心に活躍してきた元テレビ局アナウンサー。アナウンサーのキャリアアップを実現したい。何歳になってもアナウンサーとして活動できる世の中にしたい。そう考えて、２０１５年に起業したのです。

さて、田中さんですが、もともとは……。時計の針を逆回転させます。

１台の観光バスが、走っています。中には、数十人のお客さんがいます。バスガイドがお客さんの前に立ち、マイクを持って歌い始めました。ガイドの歌が、心地よくお客さんの心に響いていきます。

「アンコール、アンコール」と盛り上がるお客さん。

「天城越え」「東京のバスガール」……。ガイドは歌うよ、どこまでも。

「右手に見えますのは……、左手に見えますのは……」

このバスガイドが、田中さんです。

神奈川県は川崎市出身。小学生の時、先生に、「声がいいね」とほめられました。将来の夢は、声を生かす俳優かアナウンサー。中学の時に芸能事務所に所属しましたが、仕事に恵まれず、俳優は断念。高校に進み、放送部に入りました。ＮＨＫの高校放送コンテストに出場し、神奈川県大会で優勝しました。

そうなると、アナウンサーになりたいと思うものです。どうやったらなれるか、田中さんは考えます。大学に行って超難関のアナウンサー試験に合格する、しか思いつきません。

〈ムリだ、これは〉

自分も含めてきょうだいは6人。兄は美容師の専門学校、姉は短大に進みます。3番目の自分が大学に行く経済的な余裕は、ありません。奨学金を借りて大学に行くぐらいなら、就職して稼いだ方がいい、と考えます。

アナウンサーへの道は閉ざされた。そう田中さんは思いました。でも、声を生かす仕事をあきらめることができません。そこで、高校を卒業して観光バスの会社に入社、バスガイドになったのです。

歌も楽しかったのですが、観光バスが通る場所にかかわる歴史上の出来事を調べ、覚え、お客に披露することも、楽しかったそうです。「へえ」「なるほど」などという反応が返ってくることが、快感でした。お客さんの思い出を、マイクに向かう自分の声で彩る。仕事に満足していました。

ですが、ガイド歴5年を超えたころ、新しいことにチャレンジしたい気持ちが芽生えてきました。

〈イベントや結婚式の司会とか、してみたい〉

じつは、田中さんの父は、俳優からショーパブのダンサーに転身した人。まわりから色眼鏡で見られても自分らしさを追い求める、そんな生き方をしてきました。そんな父の生き方に共感してきた田中さんは、考えました。

〈自分がアナウンサーになる道、ぜったい探す〉

そして、トークナビがヒットしたのです。オーディションがあるというので応募しました。

〈私はアナウンサー歴ゼロ、大丈夫かなぁ〉

そんな不安を、田中さんは声に出して打ち消していきます。

「自分がしたいことは何？　それは、司会の仕事だ、アナウンサーの仕事だ」

友だちにも言いました。

「私はアナウンサーの仕事をしたいんだ」

書類選考を通過して2019年12月、東京都内でオーディションがありました。30人ほどの志望者と、トークナビの社員たちの前で自分をアピールするのです。

まわりは、オーディション参加者も、トークナビの社員たちも、ほぼアナウンサーたち。

〈私、場違いだ〉

そう思いながらのぞみます。結果は、合格！

いまでは、イベントの司会、企業研修の講師、そして、企業にかわって広報をする仕事などなど。テレビに出演し、リポーターなどもしています。テレビや新聞から情報を収集し、企業を回ってPRの仕事をゲットしたり、メディアを回って番組採用をゲットしたり。充実した毎日を送っています。

家庭環境であきらめたアナウンサーの仕事。でも、自分がしたいことを追いかけて、いまがあります。遠回りしたな、と思うこともあったそうです。でも、すべての経験が、自分の血となり肉となり。誰もつかむことができない自分のキャリアだと思っているのだとか。

「就職する高校生のみなさん。どんな道を選んだとしても、その先どうなるかは自分次第だと思います。いまできなくても、必ずチャンスは来ます」

5章　やりたい仕事の探し方

就活イベントをのぞいてみる

この本で、企業も先生も、民間サービス会社も、就活高校生のみなさんに、こう呼びかけています。

行動しましょう！

行動のひとつは、企業説明会に行く、ことです。

4章にご登場いただいたジンジブが開いている「ジョブドラフトFes」という高校生向けの合同企業説明会の様子を、のぞいてみましょう。全国各地で年間10回以上開催しているイベントですので、それらをまとめて1カ所で同時開催した、という形で描きます。

高校生を採用したいと考えているいくつもの企業が、ブースを出しています。高校生に直接、会社のことを説明できる貴重なチャンスです。なぜなら、この本でも書いてきましたが、高校生の就活には厳しいルールがあり、「生徒たちと会わせない」という高校も、いまだに存在するのですから。

だから、企業は、ブースに来た高校生の名前を聞いたり、書いてもらったりすることは控えています。ほんとうは書いてほしいという気持ちがありますが、それをグーッと抑えています。高校生の記憶に残りたい。1章で、リクルートワークス研究所の古屋星斗さんが言っていた「種まき」にあたります。

では、始めます。

その日は、平日でした。学校の授業が終わってから、高校生たちはやってきました。先生が引率してくる学校もありました。ブースは、企業の知恵の出しどころ。たとえば、2章に登場した、「千葉パワーテクノ」は、電柱のようなものをつくって立てていました。少しでも目立ち、興味をもってもらおうという作戦です。

会場を回っていると、大きな声が聞こえてきました。

「ボクは、みなさんのように高卒です。会社に入社する時、警備会社に興味があったわけではありません。求人票の中から給料の高い会社を選んだ、という記憶があります」

声の主は、30~40代の男性です。高校生の就活と言えば、高校にきた求人票の中から1社を選んでそこに行く1人1社制でしたね。そして、彼が就職したころには、ジンジブのような会社はありません。

「ボクは、警備会社の仕事って、体力自慢でガタイの良いマッチョしかできないと思っていたんです」

話をしている人物は、警備会社の仕事を、こんな風に思っていました。屈強な人が、昼夜を問わずに肉体を酷使し、体力仕事をしなくてはならない。自分には無理かもしれない。

「でも、体力自慢だけが活躍する仕事ではない、とわかりました。ある出来事がきっかけです」

10年ほど前の休日のことでした。声の主は、東京の新宿駅を歩いていました。カップルがいたのですが、男性が倒れていて、女性がオロオロしていました。男性は、心肺停止《しんぱいていし》状態だと思われます。近くには応急手当のためのAEDがありました。それを見て、声の主は声をかけます。

「手伝います。ボクは警備会社の者ですから慣れています」

声の主が働く警備会社では、新入社員は誰もがAEDの使い方を学びます。人の命を救うための基本中の基本、いろはのい、ですから。

声の主は、意識がない男性にAEDをつけ、操作します。

〈戻ってきてください、生きてください〉

男性の心臓が動き始めました。このカップルは、沖縄から旅行に来ていました。楽しい旅行のはずが暗転するところでした。救急車が到着しました。男性を乗せ、女性も付きそうために乗り込みます。

声の主の高校生への語りかけが、続きます。

「その時でした。女性がボクの目を見つめ、涙を浮かべて言ったのです。「命を助けてくださって、ありがとうございました」と。ボクの考えは変わりました。警備の仕事にも、人を守りたいという思いが大切なのだと。警備の仕事を続けてきて良かった。そして、この仕事は続ける価値があると思ったのです」

「人から「ありがとう」と言ってもらえる仕事って、そうそうありません。警備は、誇れる仕事です」

「社長になれますか？」

声の主は、東《ひがし》大輔さん（1981年生まれ）。セントラル警備保障の採用担当主任、をしている人物です。

セントラル警備保障株式会社、アルファベット3文字で略して、CSP。創業は1966年。東証プライム市場に株式を上場しています。年商557億円余り、社員はおよそ3千700人。全国各地に支社や営業所がある、押しも押されもせぬ大企業です。

東さんにとって、高校生は、本当に大切な存在です。毎年10人前後の高卒を採用しているのですが、「本当は20人、いや30人採用したい」。

CSPには大卒もいれば、中卒もいます。学歴はまったく関係なく、「頑張れば頑張った分、その頑張りを見てくれる会社です」と東さん。有名タイヤメーカーの役員だった男性が、駐車場の警備員として働いているそうです。大好きな車に囲まれていたいから、が理由だそうです。

「大きな会社ですが、学閥《がくばつ》はなく、学歴での区別もまったくありません」

そんな大きな会社でも、もちろん、就活高校生のルールは厳格《げんかく》に守っています。だからこそ、ジンジブが開いている就活イベントは大切にしているのだとか。

「私たちは、高卒のみなさんが直面し、苦しんできているミスマッチを何とかしたい。だから、貴重な機会であるイベントで、本当のところを話しています」

給料は悪くないし、福利厚生もそれなりに充実している。原則として24時間勤務で、その中に8時間の休憩時間がある。そして、翌朝9時に勤務は終わって非番に。つまり、勤務と非番を繰り返します。

「8時間の休憩をとったから元気ハツラツ、とはいきません。慣れるまで、めちゃくちゃ大変です。でも、どの仕事でも慣れるのは大変だよ。そう高校生に言っています」

非番の日は、寝ているのもよし、趣味をするのもよし。東さんは、サッカーチームに入っていたので練習に行っていたそうです。

残業は……、ありますす。ただ、サービス残業は一切ありません。残業の分は全額支給されます。そして、働きすぎないよう、法律に則《のっと》った運用をしています。

「高校生にも言っています。残業はあるけれど、好きなことをするお金を稼ぐと思ってねって」

入社してからの配属先には、いろいろな部署があります。ビルに常駐する警備、センサーで異常があった時に駆けつける機械警備。現金や貴重品を運ぶ運輸警備車の仕事、もあります。採用試験の面接時に、第1希望、第2希望を書いてもらいます。

「なるべく第2希望まで配属先をかなえたいと考えています」

なるほど。では、高卒新入社員がたどりそうなキャリアを教えてください。

「有名海賊《かいぞく》漫画の海軍組織をご存じですか?」

漫画やテレビで見たことがあるかもしれません。その組織は、大佐、曹長、伍長、二等兵などと階級があります。

「あれと同じと考えてください」

入社して4年間は自動的に昇進していきます。そのあとは、キャリアアップするために昇格試験を受けて合格しなければなりません。試験には筆記、論文、面接があるそうです。

「それに受かっていけば、昇格していきます。不合格になっても、次に頑張ればいいのです」

では、社長になれますか?

「それは……、難しいと思います」

東さんは正直な人です。そういう人だからこそ、「高卒採用のミスマッチをなくしたい」という思いに本気度がうかがえます。

CSPの株主構成を見ます。なるほど、これは社長になるのはムリですね。

株式の25%余りをJR東日本がもっているのです。鉄道と警備は切っても切れない関係ですし、企業経営が安定します。異論があるわけではありません。ただ、社長など役員の人事には、資本の論理が働くのも事実です。高卒でCSPに入社した人が社長になるのは難しい。ただ、高卒社員の力を疑っているわけではないのです。

「ただし、警備の最高責任者ともいえる役員にはなれます」

警備会社だからといって、危険な仕事をするわけではありません。ふつうにコミュニケーションができて、ありがとうと言ってもらえることに喜びを感じる高校生なら大歓迎だとか。

「社員のことを大切にしていく。それがなければ、会社は続きません」

警備会社は、取引先の安全と安心を考えます。自分の社員の安全と安心を考えないなんて、ありえませんね。

ジンジブのFesでCSPを知り、入社した高卒生のうちやめていった人は、この原稿を執筆している2024年1月現在、ゼロです。せっかく入社したのにすぐにやめてしまうミスマッチ。それを何としても防ぎ、多くの高卒生を採用したい。そんな思いで、東さんは、今日もFesの会場で、あの新宿駅の話を披露します。

高卒のキャリアアップとは？

さて、ジョブドラフトFesには、「ロイヤルホテル」という会社もブースを出していました。大阪市の中之島にある「リーガロイヤルホテル（大阪）」など、東京、京都、広島、北九州などにグループホテルを展開しています。そんなロイヤルホテルの人たちが、Fesでホテルの仕事について説明しています。

「料理には自信があります。「食のロイヤル」と呼ばれてきました。みなさんのキャリアアップについても、いろいろ考えています」

高卒のキャリアアップ。それには、またとない証明があります。

社長の植田文一さん(1966年生まれ)は、高校を卒業して1985年、「京都グランドホテル」(現在のリーガロイヤルホテル京都)に入社、人事部長などを経て社長になっています。

つまり、高卒でも社長になれるのです。

総料理長の太田昌利さん(1963年生まれ)も高卒です。1982年に入社し、フランスやスイスでも修業しています。長年にわたるフランス料理や食文化の普及への貢献が認められ、フランスから勲章《くんしょう》をもらうほどの人物です。

つまり、高卒でも料理部門のトップになれるのです。これほどのキャリアアップの証明は、おそらくありません。

新型コロナウイルスの感染拡大で、お客が激減したホテル業界。しかし、コロナ禍が落ち着き、外国からの観光客も戻ってきました。そこで直面したのが、人手不足です。

とくに人手が不足しているのが、調理部門です。ホテルで開かれる宴会や披露宴の料理、レストランで出す料理をつくっておもてなしをする担当です。ですが、この部門は、簡単に人材を育てることはできません。時間がかかります。

料理人を養成する学校もあります。ですが、高校生の中には、行きたいけれど授業料が高くて行けないな〜、と思っている人がいるでしょう。料理に興味があるのに……。

そこで、高卒のみなさんを採用して、ホテルで料理人を養成しようというのです。

人事部の田中範夫さん（1970年生まれ）は、こう語ります。

「当社には高い技術をもったプロの料理人がたくさんいます。専門学校に負けず劣らず、学べるものがたくさんあります」

すばらしい料理人になる。その道は、ホテルだけにあるわけではありません。ですが、ホテルでしか学べないことも経験できます。

リーガロイヤルホテル（大阪）の大宴会場は、2千人の立食パーティーが開催できる規模を誇ります。大量の料理を、冷たいものは冷たく、温かいものは温かく出す。料理の腕を磨けるのはもちろんですが、調理場全体のコミュニケーションがなければできないことです。さまざまな料理も学べますし、ホテルにあるフレンチ、日本料理などのレストランで学ぶこともできます。

総料理長や社長にもなれる。そんなロイヤルホテルが想定しているキャリアへの階段について、田中さんに説明していただきました。

まず入社して、原則として宴会の調理場に入ります。食器の用意や食材の下処理、料理の盛りつけ。そこが、料理人への入り口だそうです。その仕事をしながら、先輩たちの姿を見ます。そして、少しずつ食材を調理する仕事にかかわっていきます。

そして、レストランへ異動です。大きな宴会場の調理場とは異なり、1つのチームでレストラン全体の料理の仕込みや仕上げをします。シェフ、スーシェフ（副料理長）との距離も近いので、メニュー開発なども学べます。ここで、自分の将来像を描いてもらうのだそうです。

すると、こんなメニューを開発したい、こんな料理をつくってみたい、という思いが湧きあがってくるはずです。思いで、頭の中は沸騰《ふっとう》します。そこで、自分で自分を鍛錬《たんれん》しなくてはなりません。

ロイヤルホテルには自主研修制度というものがあります。その制度、発動！　社内、社外のコンクール入賞を目指すのです。仕事が終わってからですが、練習のためにホテルの器具や調理場を貸してくれます。そこで自主練習を重ねていきます。そして、社内のコンクールに挑みます。優秀な成績をおさめれば、次は社外のコンクールです。

ここでも、もちろん、自主研修制度、発動！

海外での研修という道もあります。フランス料理を志し、高い意欲やコンクールでの成績などが認められると、フランスで半年間の研修という道も開かれています。帰国したら、社内の試験を受けて、スーシェフになります。さらに、レストランや宴会場のシェフ、料理長を経験し、そして総料理長へ……。

こんなステップが想定されているそうです。もちろん、本人の努力次第ですので、全員がそうなるわけではありません。

「こう説明していくと、大変そう、しんどそうと思う高校生もいるかもしれません。でも、こう考えたらいかがでしょう？」

料理をつくる楽しさを味わってください。自分のキャリアを磨いてください。自分の得意分野を磨いて、その道のプロになってもらうのもいい。将来、独立して店をもつのもいい。ホテルで働きながら、自分の道を見つけることができるのです。

田中さん、ホテルに勤める人たちは料理人だけではありませんね？

「もちろんです。このほど、スタッフたちの服装や髪形の規則もなくしました」

えっ、そんなのあったんですか？

「たとえば、以前は、男性の場合、7・3分けをしなければいけませんでした。ホテルマンカット、って呼ばれていました。そうではない髪形をしていると「ちゃらちゃらするな」と言われて、理髪店でカットされました」

「ピアスはダメ、透明感のある色であってもネイルはダメ。そういう規則も、なくしました」

制服がない部門は、スーツでなくてOK、オフィスカジュアルにもしたそうです。スタッフの自主性を尊重しよう、という試みです。多様性の時代ですもの、大賛成です。

「記念日や人生の起点。それをお祝いにホテルにお越しいただく。そんなお客様のお祝いの演出をお手伝いできる、喜んでいただける。おじいちゃん、おばあちゃん。息子さん娘さん、お孫さん。その歴史をつなぐ、喜びをつなぐお手伝いができる」

ホテルの仕事も、すばらしいです。

何で就職先を決めるのか

ジョブドラフトFesには、「とみづや」という会社もブースを出していました。

みなさんのお住まいの近くに、「業務スーパー」というスーパーがありますか？　ボリューム満点で割安感のある食品などで、大人気のチェーンです。コンビニと同じように、経営したいという会社がそれぞれに展開していくフランチャイズ方式をとっています。

とみづやは、そのスーパーを大阪府内で展開している会社です。

2022年春に入社した高卒社員が、高校生に笑顔で話しかけています。大田朱莉さん（2003年生まれ）。彼女は、キャリアアップを目指して頑張っています。

子どものころの夢は、フランス料理のシェフ。かっこいいな……。次は花屋さん、そして、メイクアップアーティストなどと夢は転々とかけ巡り、高校生になりました。

学びたいことがないのに大学に行くのは意味がないと思った大田さん。高校を卒業したら就職すると決めていました。高校では、1年生のころから、職業の勉強をする授業がありました。ふむふむ、なるほど。そして、戦略をたてます。

就職する会社を選びたい。でも、学校からの推薦をとるには、級友たちと争わなくてはいけない。自分がここだと思った会社を、私より評価が高い級友がとっていってしまうかもしれない。

〈勉強頑張ろ、休まないぞ〉

大田さんは、授業をしっかり受け、あとはコンビニでバイトざんまいでした。「接客が楽しくて、楽しくて」と本人。

夜、常連の会社員が寄ってくれます。言われる前に、「いらっしゃいませ。たばこの銘柄《めいがら》、これでしたね」と差し出す。おお、これだ、と会社員。そこにコミュニケーションが生まれます。お弁当などを買う常連さんには、「お箸とかスプーン、もちろんご入り用ですよね」とにっこり。さらに、「これ、おいしいですよね。でも、あのカレーパン、めっちゃおいしいんです。いかがですか?」と声をかけました。

常連のおばちゃんは、アメちゃんをくれました。大阪のおばちゃんは全員、カバンの中にアメを入れています……、たぶん。こんな日々を送っていたものですから、接客業に就職する決意が固まっていきます。

〈どの会社に、し、よ、う、か、な〉

母親が、業務スーパー、略して業スーの大ファンでした。家の近くにもあって、大田さんも利用していました。

さあ高校3年の7月1日、求人票の公開です。

「先生、業スーありますか?」

しばらく先生が探してくれて……。大田、あったぞ。

2社ありました。先ほどご説明したように、業スーはフランチャイズ方式です。大田さんは2社とも会社の説明を聞きに行き、とみづやへの入社を決めました。

なぜ、そう決めたんですか？

「理由は、説明者が熱いし、みんな楽しそうだったからです。高校生は、給料や労働時間だけじゃ就職先を決めません」と大田さん。はい、失礼しました。

専務の戸崎晴仁さん（1989年生まれ）に、会社が想定している高卒社員のキャリアアップの道、を説明していただきました。

「まず、入社したら、「ルーキー」という職位になります」

新入社員の英訳ですね。わかりやすいです。1年後には、「アシスタント」という職位に昇格です。後輩教育を任されます。次が、「フロアリーダー」。売り場づくりや商品の受発注も任されます。次が、「ディレクター」。こうなると、店の人事も含めた統括もしていきます。

そして、「ストアマネジャー」。店の責任者へと昇格していきます。

「入社して5年後で想定しているのは、フロアリーダーかディレクターです」

5年後って、時間がかかるとお思いですか？　でも、まだ23歳です。その年齢で、そこまで行けるのです。もちろん、給料もあがっていきます。

戸崎さんによると、とみづやの採用は、かつては即戦力重視の中途採用が中心でした。ほかのスーパーなどでの経験者を採用していたのですが……。

「前の職場でのやり方が、当社のやり方と違うことがあります。とみづや流になじんでもらうのが、けっこう大変なんです」

さらに、若者を採用しなければ、会社の未来が見えない。そう思って新卒採用に力を入れることにしたのです。ただ、戸崎さんは「新卒採用なら大卒だな」と考えていました。ちょうどそんな時、ジンジブから提案されたのです。

高卒採用はいかがですか？

戸崎さんは、大卒と高卒の違いを考えてみました。

大学生は、3回生ぐらいまでに単位を取りきって、バイトや遊びを覚えてしまう。それで、社会勉強だからかまわない。でも、高校生は勉強するくせがついているのではないか。大学では、スーパーの専門的なことを勉強しない。だったら高卒生を採用して勉強してもらった方が、早いぞ。より若いうちに活躍できる人材になってくれる。若さは、社内を活性化するしな。

「ぜんぶ私の偏見かもしれません。あと、出身高校の先生が、「うちの子、元気で頑張ってますでしょうか」と様子を見に来てくれることもある。離職も減らせる、と考えました」

後輩の教育もして、店でも笑顔を振りまいて接客している大田さん。まずは、フロアリーダーになろうと頑張っています。仕事をしてきて、わかったことがあるとか。

「いやなことがあっても、ご飯を食べて寝れば、何とかなります」

すばらしい悟りですね。

とみづやでは、毎年、高卒を数人採用し、最低でも半年間、全員を同じ店に配属するとのことです。戸崎さん、狙いは何ですか？

「会社で頑張り続けるためには、同期という存在が大切だと思うんです。みんなすごく仲が良く、支えあっています。そして、異動があったら同期だけで送別会、なんてこともしているようです」

同期といっても、1人しか採用しない企業もあります。

相談相手がいない。グチを聞いてくれる人がいない。自分は18歳で入社したばかりで、会社でいちばん下だ。

孤独だ。

そんな気持ちを和らげることができれば、早期離職をせずに仕事が続くかもしれません。

さて、どうしましょう?

仲間、そしてキャリアプランをつくる

高校を卒業して入社したけれど、同期がいない。だったら、つくればいいのです。

ジンジブがしていることで、「ルーキーズクラブ」というものがあります。この試みの大きな狙いは、同期をつくることなのです

仙台、東京、名古屋、大阪、広島、福岡。そしてオンラインで、毎月1回、さまざまな会社の高卒新入社員が集い、講師の指示にそって、5~6人1チームで議論したり、作業をしたりします。

「同期といっしょに成長し、自分の可能性を知ること」

これを目標に掲げています。

講師をつとめているのは鶴岡靖晃さん(1973年生まれ)。

埼玉出身で、小学校や中学校の先生を通算15年しました。一度に多くの子どもと向き合わなくてはならない公教育の限界を感じていました。さらに、管理職にならなくてはならない年齢になってしまいました。

子どもたちと個別に向き合いたい。鶴岡さんは学校をやめ、個別指導の学習塾を開き、小学生から高校生までの勉強を見始めました。それまで、鶴岡さんは、子どもたちを高校まで送り込めれば、その子は何とか生きていけるだろうと思っていました。しかし、高校生と話すようになって知るのです。

高校を卒業してからが大変なのだと。とくに高校生の就職が、大変なのだと。

鶴岡さんは、振り返ります。

「1人1社制……、知りませんでした。高校生の選択肢が極めて少ない……、知りませんでした。就職してもすぐにやめてしまうこともかなりある……、知りませんでした」

ただ、当時の鶴岡さんには、すがるような望みがありました。

〈これは一部の地域の問題なんじゃないか？〉

調べると、その望みは消えました。これは全国的な問題だったのです。

高校に進学させれば大丈夫。そう考えてきた鶴岡さんの心に、こんな思いが芽生えます。

〈高校生の大事な人生のファーストキャリアにかかわりたい〉

ジンジブという会社の存在を知りました。そして、2022年秋、ルーキーズクラブの講師になったのです。

全国にいる高卒新入社員たちと話をするようになった鶴岡さん。「思っていた以上に、みんなしっかりしていました」と言います。

そして、教師や塾の経営をしていたころの自分を振り返り、痛感しているのは、このことでした。

「自分で決めるという経験を、もっとさせるべきでした。子どもたちにカリキュラムを与え、私が何もかも決めて、やらせていました。でも、社会に出たら決めてもらうのではなく、自分で決めなくてはなりません。考えて、答えを見つけなくてはなりません。指示を待っていてはダメなんだ。そう伝えるべきでした」

「自分から質問する力、年齢差があってもコミュニケーションできる力。それも、社会に出る前に教えてあげられたらよかったと、後悔することもあります」

そんな鶴岡さんが、講師として心がけていることは、高卒新入社員のみなさんにコミュニケーションをしっかりしてもらうこと、そして、自分の考えていることをしっかり言葉にしてもらうことです。悩みを打ち明けるのもいい、提案をすることもいい。得意分野でリーダーシップをとるでもいい。自分で言葉にすることです。だから、そんなワークをいっぱいいれて、トーク、セッションをしてもらっているのだそうです。

「私は高卒のみなさんに、勇気を使ってもらう練習をしているのかもしれません」

勇気。

鶴岡さんは、この2文字にこだわりがあるのです。

「自分をあきらめちゃだめだよ」

LGBTQ。

この言葉をご存じでしょう。昭和世代の中には、眉《まゆ》をひそめる大バカ者がいます。でも、若いみなさんは、おそらく抵抗なく、すんなり受け入れているでしょう。というか、人それぞれじゃん、だから何？　という感じでしょう。

鶴岡さんは、トランスジェンダー。生物学的には女性ですが、アイデンティティーは女性ではありません。2018年に、そのことをカミングアウトしています。

2018年。それは、おぞましき年でした。

国会議員の杉田水脈《みお》氏が、ＬＧＢＴにかかわる文章を月刊誌に寄稿《きこう》し、批判が殺到《さっとう》した年なのです。どんな内容だったのかは、ここでは書きません。人権意識がない昭和世代は、私も含めて、ほんとうに哀れ。これからの時代は、若いみなさんのものです。あいつらバカだね、と思っていてください。ちなみに、ネットで検索したら、た〜くさん出てきます。

鶴岡さんは、ある日、高校で講演をする機会がありました。高校生たちに、こう質問しました。

「勇気って何だろう？」

誰も手を挙げません。

「誰か発表してくれる？」

誰も手を挙げません。

指名して答えてもらうと、こんな答えがありました。

勇気は、力が強い者がもつもの。強いので何も恐れないこと。

鶴岡さんは、高校生たちに話しました。

「何も恐れない人には勇気はいらない。怖くないんだから」

そして、勇気について、こんな風に語りました。

どうしよう、手を挙げようか、と迷っている人がいるでしょう。でも、発言したら、まわりからどう思われるだろう。へんなこと言っちゃわないかな。そんな風に思うこと、それが勇気ですすと。

「どうしようと思うこと、それが勇気です。だから、自分には勇気がないなんて、ぜったいありえない。自分の中にも勇気があるんです。その勇気が積み重なって、いつか形になって手を挙げられるんだ」

鶴岡さんが、ルーキーズクラブでしていること。それは、高卒1年目の若者たちに、勇気を使う練習をしてもらっているのだそうです。毎回、チームリーダーを決め直します。だから、引っ込み思案の人もリーダーをつとめます。役目を終えると、チームのメンバーから、ありがとう、と言ってもらう。

「自分が行動を起こすと、何か変化が起こる。それを経験してもらいたい」

さて、鶴岡さん。あらためて高卒1年目のみなさんへのメッセージをください。

「昔は、誰かがおしりをたたいてくれた、理由はないけどやれって。それがいいとか悪いとかではなくて、動けない時におしりをたたいてくれた人がいて、楽をしていた。でも、いまは、いいからやれ、とは言えない時代になりました。だったら、誰が、いいからやれ、と言うのでしょうか」

「それは、自分です。自分で自分に言うしかないんです。自分自身に「つべこべ言わずに、いいからやれっ」て言える子はいます。でも、言えない子たちが多い。自分で言えない、大人も言ってくれない。どうすんの、動けないじゃん、と」

「そんな時にこそ、勇気を使ってほしい。少しでも前へ、1歩でもいいから前へ進んでほしい。だけど、1人じゃできないかもしれないね。だったら仲間をつくろう。そして、君たちを応援したいと思っている大人たち、まわりの人たちにも頼ろう。その行動は勇気を使っているということだ。自分をあきらめちゃだめだよ。応援をしてくれる人は、いくらでもいるんだ」

厳しい時代です。昔は、１５００ｍの持久走を何とかゴールできました。それは、竹刀を持っているおっかない先生がいたからです。いまは、自分との闘いです。途中でやめることもできます。でも、ゴールにたどりつけないのは、もったいない。

ルーキーズクラブに参加していた高卒1年目の若者に、聞いてみました。

1章にも出てきたＩＴ会社「Ｏｏｏｋｅｙ《ウーキィ》」。そこのプログラマーとして活躍している飯田琉さん（2005年生まれ）は言います。

「自分の見ている世界だけじゃないと、新鮮さを感じます。新しいことを知ることができる。私自身、あまり会話が得意じゃないんですが、いろんな情報を得られる。ぜんぜん違う仕事をしている同世代のみんなは、友人でもあり、刺激しあう仲間です」

もう1人、聞いてみました。

東京の豊洲市場《とよすしじょう》にあり、魚の流通の要を担っている「中央フーズ」。社員やパートさんを含めて50人ほどいる会社です。そこで経理や総務をしている捧《ささげ》明浬さん（2005年生まれ）は、言います。

「同期は1人いるんですが、大卒の人なので、会社での悩みをなかなか気軽に話せません。こういう場は、本気で話せて楽しいし、ありがたい。違う意見をもらって、それが仕事で生かせる。いい刺激にもなります」

そして、捧さんは、断言しました。

「みんな、同期です！」

企業、先生、役所……。多くの大人たちが、高校生に幸せな就職をしてもらおうと、知恵をしぼり、行動している。そのことをご理解いただけましたでしょうか。

失敗や挫折を繰り返しながらも自分の道を見つけている元高校生たちの姿は、みなさんの勇気になったでしょうか。

みなさんは若い。焦ることはありません。だからといって、何もしないことは、あまりにもったいない。

さあ、はじめの一歩を踏み出しましょう。

コラム・進路いろいろ⑤　会社社長編

大阪市に本社がある「ａｋｉｐｐａ《アキッパ》」（以下、アキッパ）。この会社が提供しているサービスは、駐車場の予約です。ドライバーがアプリを使って駐車場を予約し、アキッパに支払いも済ませます。あとは駐車場を利用するだけ。駐車場のオーナーにはアキッパからお金が届きます。予約できる駐車場は、全国にいつも３万５千件以上あります。コインパーキングや月極め駐車場だけでなく、ホテルや個人宅もカバーしています。

駐車場のオーナーにとっては、空いている駐車場の有効活用です。だからドライバーは安く借りられるし、オーナーにはお金が入る。いわゆる、ウィンウィンです。

２０１４年にこのサービスを始めた創業社長、金谷元気さん（１９８４年生まれ）。彼もまた、高卒の人です。サッカーのＪリーグの選手を目指し、挫折……。

大阪府の柏原市に生まれました。愛読書は、マンガ「キャプテン翼」。翼くんのライバルで孤高のストライカー、日向小次郎《ひゅうがこじろう》くんが大好きでした。もちろん、金谷さんはサッカー少年になります。ポジションは、もちろん小次郎と同じフォワードです。

ボクは世界一のサッカー選手になる！

中学時代。地域にあったジュニアユースのチームでプレーしました。高校進学。チームの仲間たちは、地元にあるサッカーの強豪私立校へと進みましたが、金谷さんは公立高校に進みました。

めっちゃ強いところに勝つんだ。目指せ、ジャイアントキリング！

練習、練習、また練習。

1年の夏。全国大会の大阪府予選、1回戦。いきなり、かつての仲間たちがいる、あの強豪校と当たりました。相手は部員100人を超える。こっちは16人。いきなりジャイキリのチャンスですが、自信はありません。

ピピーッ。キックオフ！

前半、金谷さんたちは守りに守りました。たまたま金谷さんが相手キーパーと一対一になり、走り込んできた先輩にパス、ゴール。1対0で折り返し、後半。相手は目の色を変えて攻めてきました。顔面でボールをはねかえすなど、金谷さんたちは全員で守りました。最後の最後で同点とされました。

延長はなくPK戦へ。相手のキーパー、実はすご〜く怖かったかつての先輩でした。金谷さんはキャプテンに頼み、3番目に蹴らせてもらいました。思いっきり真ん中に蹴って、P

K成功。4対3で勝利です。ジャイキリ達成！

4回戦で負けたけれど、金谷さんのサッカー熱はヒートアップ。

高校3年。進路希望に「第1希望セレッソ大阪、第2希望ガンバ大阪」と書きました。大阪府の高校選抜候補、にも選ばれるプレーヤーになりました。けれど、Jリーグのチームからは、うんともすんとも言ってきません。ならばこっちからと、プレーのビデオを撮ってJリーグのチームに送りまくりました。

高校を卒業し、バイトをしながら関西のアマチュアチームでJリーガーを目指しました。そんなサッカー漬けな金谷さんに、商売についてちょこっと考える出来事が起こります。

19歳のある日、大阪市の天王寺というところで、女性とデートをしました。動物園があり、大阪のシンボルである通天閣をのぞむ場所です。お金はないのにゲームセンターで遊ぶ。さて帰ろうと財布の中を見たら、中身は200円でした。2人で電車賃は600円かかるので、足りません。金谷さんは彼女に言いました。

「歩いて帰ろうか」「イヤや」

どうしようかゲーセンで思案していると、雨が降ってきました。金谷さんは100円ショップに走り、白いビニール傘を2本買いました。これで持ち金、ゼロです。

「歩いて帰ろうよ」「ぜったいイヤや」

その時、金谷さんは気づきました。とつぜんの雨で傘を差していない人が何人もいることに。

そうだ！

金谷さんは、サッカー用具を入れるエナメルのバッグを持っていました。中に、思いついた戦術を書くノートをしのばせています。そのノートに、大きく書きました。

「傘、1本300円」

男性2人組が寄ってきました。

「傘、買うわ」

傘を200円で2本仕入れ、600円で売却。こうして、めでたく電車で帰ったのでした。ニーズにあったものを提供すれば、買ってくれる。それを金谷さんは痛感しました。いまの駐車場サービスにつながる出来事です。

そんな金谷さんは、Jリーグチーム「ザスパ草津」(現、ザスパクサツ群馬)の練習生にもなりましたが、プロ契約にはいたらず。22歳。Jリーガーへの夢を、あきらめました。

社会を知らなすぎると思い、上場している情報通信の会社に就職しました。営業で結果を出し、1年半後に、もう十分だと会社をやめます。

自分でやろう！

2009年、自宅のワンルームマンションを拠点に、求人広告と携帯電話の販売をする会社をつくりました。社名は、これです。

「ギャラクシーエージェンシー」

サッカー小僧、最後のあがきです。サッカーに詳しい方は想像できるでしょう。スペインのサッカーチーム「レアル・マドリード」が銀河《ぎんが》系《けい》軍団と呼ばれていたのです。

さて、会社をつくったのは2009年です。最悪のタイミングでした。リーマン・ショックまっただ中だったのです。リーマン・ショック。それは、2008年、アメリカの証券会社「リーマン・ブラザーズ」の経営破綻《はたん》をきっかけに始まる、世界的な経済危機のことです。

けれど、金谷さんはつき進みました、元フォワードだもの。そして元サッカー仲間などに声をかけ、新卒採用にも力を入れ、またたくまに社員20人となりました。

お金がないので、片っ端から銀行を巡って融資を頼みました。ダメ、ダメ、ダメ。20行回って、ぜーーんぶダメ。政府系の金融機関、ここもダメ。

本屋に行って、お金に困ったらどうするか書いてあるノウハウ本を立ち読み。ベンチャーキャピタルがある、と書いてありました。ベンチャー企業にお金を出してくれるところだと知りました。金谷さんは40社以上に電話しました。

「ソフトバンクの孫正義さんへの投資を断った人は、いま後悔していると思います。私、孫さんを超えていくんで」

1社が出資してくれました。金谷さんの人柄を買ってくれたのです。ところが、求人広告の出来が思ってたのより悪いと、企業からのクレームが増えてしまいます。

〈オレがしていることは、世の中の役に立ってないんやなあ〉

2013年、金谷さん28歳のある日。会社に誘っていた高校サッカー部の後輩に言われました。

「元気さん。会社の理念って何ですか？　何を目指してるんですか？」

金谷さんは答えられませんでした。考えたこと、なかったのです。

ある時、出張からマンションに帰ると、電気が止められていました。コンビニで電気代を払うのを忘れていたのです。スマホの充電、できない。テレビ、見られない。電気のすごさを感じた金谷さん、ひらめきます。

〈そうや！　オレも、なくてはならぬサービスをつくろう〉

金谷さんは、あの19歳の時のデートを思い出しました。

〈とつぜんの雨。ありったけの持ち金200円で買った2本の傘が600円で売れた。あの時なくてはならなかったから、買うてくれたんやった〉

当時、金谷さんの会社のスタッフは20人ほどでした。全員に集合をかけ、「なくてはならぬサービスをつくろう」と呼びかけました。みんな、うなずきます。生活の中で困りごとを200個、書きだすことにしました。スタッフが思い思いに言ったことを模造紙に書いていきます。そして、あるスタッフが言ったのです。

「駐車場は、現地に行ってはじめて満車かどうかがわかる。それが困ります」

金谷さんは、小学生のころを思い出しました――祖父母と毎週のように車でプロ野球の阪神タイガースの試合を見に行きました。けれど、阪神甲子園球場近くの駐車場は満車、満車。けっきょく甲子園球場まで30分ぐらい歩かなくてはいけない場所にしかとめられません。ところが球場へ歩いていると、こっちにも、あっちにも空いている駐車場があったっけなあ――。

そして、いまの事業を始めたのです。ドライバーの「駐車場が見つからない」という困りごと。空きスペースを抱える駐車場オーナーの「スペースが空きっぱなしになっている」という困りごと。その二つの困りごとを解決するサービス、「アキッパ」。

2015年、社名もａｋｉｐｐａにしました。

全国各地に代理店をつくり、それぞれの地域の駐車場オーナーとの交渉を任せました。ＩＴ企業からエンジニアを採用し、サービスをより便利にしていきました。

予約ができる駐車場は全国に常時3万5千件以上。会員は累計360万人。駐車場サービスへ参入してくる会社はいくつもありますが、業界トップクラス。スタッフは80人。代理店は1千社を超えています。プロ野球やバスケ、そしてサッカーチームと提携、試合がある時の駐車場を確保しています。その提携先には、金谷さんが高校の時に進路の第1希望だった「セレッソ大阪」もあります。練習生だった「ザスパクサツ群馬」もあります。

アキッパは、ただ駐車場を提供しているのではありません。

「〝あいたい〟を世界中でつなぐ」

これをビジョンに掲げています。

金谷さんが言います。

「あるおばあちゃんが、小学生である孫の運動会を見たいと思っていました……」

彼女は車いす生活だったので、車でしか移動できませんでした。小学校近くの駐車場はいつも満車。だから、孫が1年生から5年生までの間、運動会に行けませんでした。孫が小学6年、最後のチャンス。アキッパのサービスを利用して、孫の雄姿《ゆうし》を見ることができたのです。

「私たちは、誰かと誰かをつなぐお手伝いをしているのです」

高齢化が進んでいます。地方の鉄道が廃線になっています。移動手段としての車は、ますます大事です。金谷さんは、誓うのです。

「〝なくてはならぬ〟サービスをつくり、世の中の困りごとを解決する」

「あなたの〝会いたい〟を世界中でつなぐ」

おわりに

私は、新聞記者をしています。記者は、大学を卒業しなくてはなれない仕事でした。だから大学に行き……。

うそです。40年余り前、大学で勉強したいことは何もなく、何になりたいのかもなく、ただただ大学合格のために勉強していました。きっと勉強しすぎでしょう、大学に入学した時には真っ白に燃え尽きていました。覚えていたことは一瞬にして忘却《ぼうきゃく》の彼方、大学で勉強するエネルギーはなく、頭が勉強を拒否していました。

そんな私を救ってくれたものがありました。それは、応援部です。応援するチームがどんなに負けていてもあきらめることを許されなかった4年間。それは、私の大学時代の、ただひとつの思い出です。

ひょんなことから記者になりました。その時々の取材テーマを追いかけるも、たいした記事が書けるわけでもなく……。心が折れかかって心療《しんりょう》内科に通ったこともありました。

そんな私に、応援するという気持ちをよみがえらせてくれた時が訪れました。２００８年秋に起こったリーマン・ショックです。派遣の人たちを路頭《ろとう》に迷わせた大企業のむごさに怒り、中小企業の取材をするようになったのです。

大企業や銀行の理不尽な仕打ち、経済界や政治の世界にいるエラい人たちの傲慢《ごうまん》な発言や行動の数々……。私は、僭越《せんえつ》ながら勝手に、「中小企業の応援団長」を名乗るようになりました。断っておかなくてはなりません。弱い者だから応援するのではありません。この世の中になくてはならない存在だから応援しているのです。

中小企業の経営者や社員のみなさんには、さまざまな学歴の方がいらっしゃいます。みなさんにインタビューし、喜び、怒り、哀しみ、楽しみ、をうかがって記事を書いていきました。社長さん、社員さんらと飲み明かし、語り合いました。いっしょに泣き、いっしょに怒り。学歴？　そんなの、もともと関係ねぇ……。いっしょに歌いました。

そんな日々の中、この本に登場していただいたジンジブ社長の佐々木満秀さんにも出会いました。元トラック野郎の熱き思いに、私は勇気をいただいていました。そして、こうも思いました。

１人１社制、ひどくね？

コロナ禍が落ち着き始めた２０２３年春。とあるジンジブの社員さんと話をしているうちに、あらためて思いました。

高校生の就活ルール、厳しすぎ！

微力ですが、問題点を世の中に指摘しておきたい。そう考えて取材を始めました。記者として、就活ルールの厳しさは受け入れがたい。でも、そのルールの中で、企業も学校も、高校生の幸せを考えていることも目にしてきました。

だんだん腹が立ってきました。

大卒就活のルール違反ＯＫ、ありえなくね？

私たちの暮らしを支えている若者たちに出会いました。かっこよかった〜。

こうして、朝日新聞の夕刊で５回にわたって「現場へ！　フレーフレー就活高校生！」を連載しました。連載したのは２０２３年６月です。みなさんお察しのとおり、７月１日の求人票公開直前でした。この本は、大幅な追加取材を重ね、がらがらぽんの再構成をして編んだものです。

取材に応じていただいた元就活高校生のみなさんは、私から見たら孫のような方もいます。若さだけでまぶしいのに、強い思いをもっていることに感服いたしました。18歳だったころの私が情けなくなりました。

取材を快く受けていただいた経営者のみなさんの熱き思いは、心に響きました。すべてを描ききることができず、申し訳ございません。

高校の先生方の生徒を思う気持ち、プライスレスです。ずけずけと質問したご無礼、お許しください。京葉工業高校の鷹野さ～ん、小積さ～ん、職場でかわいがってもらってますか？

この本では、ご登場いただいたみなさんの人間像にも触れる、を心がけました。この本をお読みいただいたみなさんそれぞれの半生と、どこかで共通する部分がある人が本の中にいれば、みなさんの人生での何かのヒントになるかもしれない、と思ったものですから。

私は、就活高校生の応援団長も目指します。まだまだ、その任につくには器が軽すぎます。まずは、みなさんを超絶推しすることから始めます。叫びます。

世の中の少数派、上等！

みなさま～、最後までお読みいただき、誠にありがとうございました。最後にお送りいたしますのは、エールで～ございます。背筋をピーンとはって～、声高らかに～、

フレー、フレー、就活高校生！

中島 隆
「中小企業の応援団長」を名乗る朝日新聞編集委員．1963 年生まれ．東大応援部で学ランの日々を送り，1986 年，朝日新聞入社．経済畑が長いが，リーマン・ショックで非正規雇用の方々を切り捨てる大企業に怒りを覚え，中小企業愛に目覚めた．年末年始は高校ラグビーの取材ですごす．モットーは，段落増やすぞ，漢字を減らすぞ．著書に『魂の中小企業』(朝日新聞出版)，『塗魂』(論創社)，『チーム・ブルーの挑戦――命と向き合う「やまと診療所」の物語』(大月書店)など．

フレーフレー！就活高校生
―高卒で働くことを考える　　岩波ジュニア新書 987

2024 年 6 月 20 日　第 1 刷発行

著　者　中《なか》島《じま》 隆《たかし》

発行者　坂本政謙

発行所　株式会社 岩波書店
〒101-8002 東京都千代田区一ツ橋 2-5-5
案内 03-5210-4000　営業部 03-5210-4111
ジュニア新書編集部 03-5210-4065
https://www.iwanami.co.jp/

印刷・三陽社　カバー・精興社　製本・中永製本

ISBN 978-4-00-500987-9　　Printed in Japan

岩波ジュニア新書の発足に際して

きみたち若い世代は人生の出発点に立っています。きみたちの未来は大きな可能性に満ち、陽春の日のようにひかり輝いています。勉学に体力づくりに、明るくはつらつとした日々を送っていることでしょう。

しかしながら、現代の社会は、また、さまざまな矛盾をはらんでいます。営々として築かれた人類の歴史のなかで、幾千億の先達《せんだつ》たちの英知と努力によって、未知が究明され、人類の進歩がもたらされ、大きく文化として蓄積されてきました。にもかかわらず現代は、核戦争による人類絶滅の危機、貧富の差をはじめとするさまざまな人間的不平等、社会と科学の発展が一方においてもたらした環境の破壊、エネルギーや食糧問題の不安等々、来るべき二十一世紀を前にして、解決を迫られているたくさんの大きな課題がひしめいています。現実の世界はきわめて厳しく、人類の平和と発展のためには、きみたちの新しい英知と真摯《しんし》な努力が切実に必要とされています。

きみたちの前途には、こうした人類の明日の運命が託されています。ですから、たとえば現在の学校で生じているささいな「学力」の差、あるいは家庭環境などによる条件の違いにとらわれて、自分の将来を見限ったりはしないでほしいと思います。個々人の能力とか才能は、いつどこで開花するか計り知れないものがありますし、努力と鍛練の積み重ねの上にこそ切り開かれるものですから、簡単に可能性を放棄したり、容易に「現実」と妥協したりすることのないようにと願っています。

わたしたちは、これから人生を歩むきみたちが、生きることのほんとうの意味を問い、大きく明日をひらくことを心から期待して、ここに新たに岩波ジュニア新書を創刊します。現実に立ち向かうために必要とする知性、豊かな感性と想像力を、きみたちが自らのなかに育てるのに役立ててもらえるよう、すぐれた執筆者による適切な話題を、豊富な写真や挿絵とともに書き下ろしで提供します。若い世代の良き話し相手として、このシリーズを注目してください。わたしたちもまた、きみたちの明日に刮目《かつもく》しています。（一九七九年六月）

912 新・大学でなにを学ぶか　上田紀行 編著

大学では何をどのように学ぶのか？　池上彰氏をはじめリベラルアーツ教育に携わる気鋭の大学教員たちからのメッセージ。

913 統計学をめぐる散歩道
—ツキは続く？　続かない？　石黒真木夫

天気予報や選挙の当選確率、くじの当たり外れやじゃんけんの勝敗などから、統計のしくみをのぞいてみよう。

914 読解力を身につける　村上慎一

評論文、実用的な文章、資料やグラフ、文学的な文章の読み方を解説。名著『なぜ国語を学ぶのか』の著者による国語入門。

915 きみのまちに未来はあるか？
—「根っこ」から地域をつくる　除本理史　佐無田光

地域の宝物＝「根っこ」と自覚した住民によるまちづくりが活発化している。各地の事例から、未来へ続く地域の在り方を提案。

916 博士の愛したジミな昆虫　金子修治　鈴木紀之 編著　安田弘法

SFみたいなびっくり生態、生物たちの複雑怪奇なからみ合い。その謎を解いていくワクワクを、昆虫博士たちが熱く語る！

917 有権者って誰？　藪野祐三

あなたはどのタイプの有権者ですか？　社会に参加するツールとしての選挙のしくみや意義をわかりやすく解説します。

918
議会制民主主義の活かし方
―未来を選ぶために
糠塚康江
私達は忘れている。未来は選べるということを。必要なのは議会制民主主義を理解し、使いこなす力を持つこと、と著者は説く。

919
繊細すぎてしんどいあなたへ
ＨＳＰ相談室
串崎真志
繊細すぎる性格を長所としていかに活かすかをアドバイス。「繊細でよかった!」読後にそう思えてくる一冊。

920
10代から考える生き方選び
竹信三恵子
10代にとって最適な人生の選択とは? 各選択肢が孕むメリットやリスクを俯瞰しながら、生き延びる方法をアドバイスする。

921
一人で思う、二人で語る、みんなで考える
―実践! ロジコミ・メソッド
追手門学院大学成熟社会研究所 編
課題解決に役立つアクティブラーニングの道具箱。多様な意見の中から結論を導くロジカルコミュニケーションの方法を解説。

922
できちゃいました! フツーの学校
富士晴英とゆかいな仲間たち
生徒の自己肯定感を高め、主体的に学ぶ場を作ろう。校長からのメッセージは「失敗ＯＫ!」「さあ、やってみよう」

923
こころと身体の心理学
山口真美
金縛り、夢、絶対音感――。様々な事例をもとに第一線の科学者が自身の病とも向き合って解説した、今を生きるための身体論。

924 過労死しない働き方
—働くリアルを考える
川人　博
過労死や過労自殺に追い込まれる若い人を、どうしたら救えるのか。よりよい働き方・職場のあり方を実例をもとに提案する。

925 障害者とともに働く
藤井克徳
星川安之
「障害のある人の労働」をテーマに様々な企業の事例を紹介。誰もが安心して働ける社会のあり方を考えます。

926 人は見た目！と言うけれど
—私の顔で、自分らしく
外川浩子
見た目が気になる、すべての人へ！「見た目問題」当事者たちの体験などさまざまな視点から、見た目と生き方を問いなおす。

927 地域学をはじめよう
山下祐介
地域固有の歴史や文化等を知ることで、自分・社会・未来が見えてくる。時間と空間を往来しながら、地域学の魅力を伝える。

928 自分を励ます英語名言101
小池直己
佐藤誠司
自分に勇気を与え、励ましてくれるさまざまな先人たちの名句名言に触れながら、自然に英文法の知識が身につく英語学習入門。

929 女の子はどう生きるか
—教えて、上野先生！
上野千鶴子
女の子たちが日常的に抱く疑問やモヤモヤに、上野先生が全力で答えます。自分らしい選択をする力を身につけるための1冊。

930 平安男子の元気な！生活　川村裕子
意外とハードでアクティブだった!? 恋に出世にライバル対決、元祖ビジネスパーソンたちのがんばりを、どうぞご覧あれ☆

931 SDGs時代の国際協力 ―アジアで共に学校をつくる　西村幹子・小野道子・井上儀子
バングラデシュの子どもたちの「学校に行きたい！」を支えて―NGOの取組みから未来をつくるパートナーシップを考える。

932 コミュニケーション力を高めるプレゼン・発表術　上坂博亨・大谷孝行・里見安那
パワポスライドの効果的な作り方やスピーチの基本を解説。入試や就活でも役立つ「自己表現」のスキルを身につけよう。

933 確かめてナットク！物理の法則　ジョー・ヘルマンス 村岡克紀訳
ロウソクとLED、どっちが高効率？ 物理学は日常的な疑問にも答えます。公式だけじゃない、物理学の醍醐味を味わおう。

934 深掘り！中学数学 ―教科書に書かれていない数学の話　坂間千秋
三角形の内角の和はなぜ180°になる？ なぜ割り算はゼロで割ってはいけない？ なぜマイナス×マイナスはプラスになる？…

935 はじめての哲学　藤田正勝
なぜ生きるのか？ 自分とは何か？ 日常の一歩先にある根源的な問いを、やさしい言葉で解きほぐします。ようこそ、哲学へ。

936
ゲッチョ先生と行く 沖縄自然探検
盛口 満
沖縄島、与那国島、石垣島、西表島、宮古島を中心に、様々な生き物や島の文化を、著名な博物学者がご案内！ 〔図版多数〕

937
食べものから学ぶ世界史
―人も自然も壊さない経済とは？
平賀 緑
食べものから「資本主義」を解き明かす！産業革命、戦争…。食べものを「商品」に変えた経済の歴史を紹介。

938
国語をめぐる冒険
渡部泰明・平野多恵・出口智之・田中洋美・仲島ひとみ
世界へ一歩踏み出せば、新しい出会いと成長への機会が待っています。国語を使ってどう生きるか、冒険をモチーフに語ります。

940
俳句のきた道 芭蕉・蕪村・一茶
藤田真一
古典を知れば、俳句がますますおもしろくなる！ 個性ゆたかな三俳人の、名句と人生、俳句の心をたっぷり味わえる一冊。

941
AIの時代を生きる
―未来をデザインする創造力と共感力
美馬のゆり
人とAIの未来はどうあるべきか。「創造力と共感力」をキーワードに、よりよい未来のつくり方を語ります。

942
親を頼らないで生きるヒント
―家族のことで悩んでいるあなたへ
コイケ ジュンコ
NPO法人ブリッジフォースマイル協力
虐待やヤングケアラー…、子どもはどのようにSOSを出せばよいのか。社会的養護のもとで育った当事者たちの声を紹介。

943
数理の窓から世界を読みとく
―素数・AI・生物・宇宙をつなぐ
初田哲男 柴藤亮介 編著
数学を使いさまざまな事象を理論的に解明する方法、数理。若手研究者たちが数理を共通言語に、瑞々しい感性で研究を語る。

944
自分を変えたい
―殻を破るためのヒント
宮武久佳
いつも同じメンバーと同じ話題。親に勧められた大学に進学し、楽勝科目で単位を稼ぐ。ずっとこのままでいいのかなあ？

945
ヨーロッパ史入門
原形から近代への胎動
池上俊一
古代ギリシャ・ローマから、文化的統合体としてのヨーロッパの成立、ルネサンスや宗教改革を経て、一七世紀末までを俯瞰。

946
ヨーロッパ史入門
市民革命から現代へ
池上俊一
近代国家の成立や新しい思想の誕生、二度の大戦、アメリカや中国の台頭。「古い大陸」ヨーロッパがたどった近現代を考察。

947
〈読む〉という冒険
イギリス児童文学の森へ
佐藤和哉
アリス、プーさん、ナルニア……名作たちは、本当は何を語っている？「冒険」する読みかた、体験してみませんか。

948
私たちのサステイナビリティ
―まもり、つくり、次世代につなげる
工藤尚悟
「サステイナビリティ」とは何かを、気鋭の研究者が、若い世代に向けて、具体例を交えわかりやすく解説する。

949 進化の謎をとく発生学
―恐竜も鳥エンハンサーを使っていたか
田村宏治
進化しているのは形ではなく形作り。キーワードは、「エンハンサー」です。進化発生学をもとに、進化の謎に迫ります。

950 漢字ハカセ、研究者になる
笹原宏之
著名な「漢字博士」の著者が、当て字、国字、異体字など様々な漢字にまつわるエピソードを交えて語った、漢字研究者への成長記。

951 作家たちの17歳
千葉俊二
太宰も、賢治も、芥川も、漱石も、まだ「文豪」じゃなかった――十代のころ、彼らは何に悩み、何を決意していたのか?

952 ひらめき! 英語迷言教室
―ジョークのオチを考えよう
右田邦雄
ユーモアあふれる英語迷言やひねりのきいたジョークのオチを考えよう! 笑いながら英語力がアップする英語トレーニング。

953 大絶滅は、また起きるのか?
高橋瑞樹
生物たちの大絶滅が進行中? 過去五度あった大絶滅とは? 絶滅とはどういうことでなぜ問題なのか、様々な生物を例に解説。

954 いま、この惑星で起きていること
気象予報士の眼に映る世界
森さやか
世界各地で観測される異常気象を気象予報士の立場で解説し、今後を考察する。雑誌『世界』で大好評の連載をまとめた一冊。

955 世界の神話 躍動する女神たち

沖田瑞穂

強い、怖い、ただでは起きない、変わってる!? 世界の神話や昔話から、おしとやかなイメージをくつがえす女神たちを紹介!

956 16テーマで知る 鎌倉武士の生活

西田友広

鎌倉武士はどのような人々だったのでしょうか？ 食生活や服装、住居、武芸、恋愛など様々な視点からその姿を描きます。

957 〝正しい〟を疑え！

真山 仁

不安と不信が蔓延する社会において、自分を信じて自分らしく生きるためには何が必要なのか？ 人気作家による特別書下ろし。

958 津田梅子―女子教育を拓く

髙橋裕子

日本の女子教育の道を拓き、シスターフッドを体現した津田梅子の足跡を、最新の研究成果・豊富な資料をもとに解説する。

959 学び合い、発信する技術―アカデミックスキルの基礎

林 直亨

アカデミックスキルはすべての知的活動の基盤。対話、プレゼン、ライティング、リーディングの基礎をやさしく解説します。

960 読解力をきたえる英語名文30

行方昭夫

英語力の基本は「読む力」。先生と生徒の対話形式で、新聞コラムや小説など、とっておきの例文30題の読解と和訳に挑戦！

961 森鷗外、自分を探す　出口智之

文豪で偉い軍医の天才？　激動の時代の感覚に立って作品や資料を読み解けば、自分探しに悩む鷗外の姿が見えてくる。

962 巨大おけを絶やすな！――日本の食文化を未来へつなぐ　竹内早希子

しょうゆ、みそ、酒を仕込む、巨大な木おけ。途絶えかけた大おけづくりをつなぎ、その輪を全国に広げた奇跡の奮闘記！

963 10代が考えるウクライナ戦争　岩波ジュニア新書編集部編

この戦争を若い世代はどう受け止めているのでしょうか。高校生達の率直な声を聞き、平和について共に考える一冊です。

964 ネット情報におぼれない学び方　梅澤貴典

新しい時代の学びに即した情報の探し方や使い方、更にはアウトプットの方法を図書館司書の立場からアドバイスします。

965 10代の悩みに効くマンガ、あります！　トミヤマ ユキコ

悩み多き10代を多種多様なマンガを通してお助けします。萎縮したこころとからだがふわっと軽くなること間違いなしの一冊。

966 新種発見物語――足元から深海まで11人の研究者が行く！　島野智之　脇　司　編著

虫、魚、貝、鳥、植物、菌など未知の生物の探究にワクワクしながら、分類学の基礎も楽しく身につく、濃厚な入門書。

967
核のごみをどうするか
―もう一つの原発問題

今田高俊
寿楽浩太
中澤高師

原子力発電によって生じる「高レベル放射性廃棄物」をどのように処分すればよいのか。問題解決への道を探る。

968
扉をひらく哲学
―人生の鍵は古典のなかにある

中島隆博・梶原三恵子
納富信留・吉水千鶴子 編著

親との関係、勉強する意味、本当の自分とは？……人生の疑問に、古今東西の書物をひもといて、11人の古典研究者が答えます。

969
在来植物の多様性がカギになる
―日本らしい自然を守りたい

根本正之

日本らしい自然を守るにはどうしたらいい？ 在来植物を保全する方法は？ 自身の保全活動をふまえ、今後を展望する。

970
知りたい気持ちに火をつけろ！
―探究学習は学校図書館におまかせ

木下通子

レポートの資料を探す、データベースで情報検索する……、授業と連携する学校図書館の活用法を紹介します。

971
世界が広がる英文読解

田中健一

英文法は、新しい世界への入り口です。楽しく読む基礎とコツ、教えます。英語力不問、この1冊からはじめよう！

972
都市のくらしと野生動物の未来

高槻成紀

野生動物の本当の姿や生き物同士のつながりを知る機会が減った今。正しく知ることの大切さを、ベテラン生態学者が語ります。

973 ボクの故郷は戦場になった
―樺太の戦争、そしてウクライナへ
重延 浩
1945年8月、ソ連軍が侵攻を開始し、のどかで美しい島は戦場と化した。少年が見た戦争とはどのようなものだったのか。

974 源氏物語入門
高木和子
日本の古典の代表か、色好みの男の恋愛遍歴か。『源氏物語』って、一体何が面白いの？ 千年生きる物語の魅力へようこそ。

975 「よく見る人」と「よく聴く人」
―共生のためのコミュニケーション手法
広瀬浩二郎
相良啓子
目が見えない研究者と耳が聞こえない研究者が、互いの違いを越えてわかり合うためコミュニケーションの可能性を考える。

976 平安のステキな!女性作家たち
川村裕子
早川圭子 絵
紫式部、清少納言、和泉式部、道綱母、孝標女。作品の執筆背景や作家同士の関係も解説。ハートを感じる!王朝文学入門書。

977 国連で働く
―世界を支える仕事
植木安弘 編著
平和構築や開発支援の活動に長く携わってきた10名が、自らの経験をたどりながら国連の仕事について語ります。

978 農はいのちをつなぐ
宇根 豊
生きものの「いのち」と私たちの「いのち」はつながっている。それを支える「農」とは何かを、いのちが集う田んぼで考える。